DU MÊME AUTEUR

Aux Éditions Gallimard

FEMMES, *roman*
PORTRAIT DU JOUEUR, *roman*
THÉORIE DES EXCEPTIONS
PARADIS II
LE CŒUR ABSOLU, *roman*
LES SURPRISES DE FRAGONARD
LES FOLIES FRANÇAISES, *roman*
LE LYS D'OR, *roman*

Aux Éditions Quai Voltaire

SADE : CONTRE L'ÊTRE SUPRÊME

Aux Éditions Plon

CARNET DE NUIT

Aux Éditions de la Différence

DE KOONING, VITE

Aux Éditions 1900

PHOTOS LICENCIEUSES DE LA BELLE ÉPOQUE

Aux Éditions du Seuil

Romans

UNE CURIEUSE SOLITUDE
LE PARC
NOMBRES

Suite de la bibliographie en fin de volume

LA FÊTE À VENISE

PHILIPPE SOLLERS

LA FÊTE À VENISE

roman

GALLIMARD

Il a été tiré de l'édition originale de cet ouvrage quarante exemplaires sur vélin pur chiffon de Rives Arjomari-Prioux numérotés de 1 *à* 40.

« Qui a un corps apte au plus grand nombre d'actions, a un esprit dont la plus grande partie est éternelle. »

SPINOZA

I

Comme toujours, ici, vers le dix juin, la cause est entendue, le ciel tourne, l'horizon a sa brume permanente et chaude, on entre dans le vrai théâtre des soirs. Il y a des orages, mais ils sont retenus, comprimés, cernés par la force. On marche et on dort autrement, les yeux sont d'autres yeux, la respiration s'enfonce, les bruits trouvent leur profondeur nette. Cette petite planète, par plaques, a son intérêt.

C'est le 18 septembre 1846 que Le Verrier écrit sa fameuse lettre à Galle. Celui-ci la reçoit le 23 et, la nuit suivante, profitant d'une carte récente et corrigeant une légère erreur de calcul, observe pour la première fois au télescope la présence de Neptune. On dit que Le Verrier avait mauvais caractère. Possible. J'aime son nom, parmi d'autres. J'aime qu'Henri Beyle, plus connu sous le pseudonyme de Stendhal, note qu'il a commencé la rédaction de ses souvenirs le 20 juin 1832, « forcé comme la Pythie ». Il a quarante-neuf ans, il est à Rome. Il s'arrête le 4 juillet de la même année, abandonnant son manuscrit sur ces mots : « La chaleur m'ôte les idées à 1 h 1/2. » On devrait tout laisser inachevé, c'est mieux. Souvent, Stendhal n'écrit pas son nom d'état civil Beyle, selon l'orthographe, mais Belle. Il se trouvait laid, gros, une tête de boucher italien. « Les yeux qui liront ceci s'ouvrent à peine à la lumière. » Oui. « Mes futurs lecteurs ont 10 ou 12 ans. » Oui, oui.

J'entends à peine Luz au premier étage. J'ai fermé les rideaux, je déclenche à nouveau les diapositives, j'envoie les tableaux, leurs détails. Je me lève, je remue les bras, je me répète des phrases du genre : « Se remettre dans son corps *avec mystère*, minute après minute, pas à pas, nuages, fin d'après-midi, plan fixe. » Je ferais mieux d'expliquer mon hallucination de tout à l'heure au jardin : le crâne, bien tenu en main, après la mort, sensation de plaisir intense. Ou bien : le cadavre tombant, verticale immédiate dans l'autre sens, sceau d'opacité, pyramides opposées, lumière. Un croquis pourrait représenter un léger personnage à la renverse, flèche de squelette vers le bas, flèche d'esprit, si l'on veut, vers le haut, flash du commencement, ciel et terre. « Dans ma jeunesse, quand j'improvisais, j'étais fou. » Oui encore. Nouvelles lignes, nouvelles couleurs.

J'ai changé. L'expression est faible, mais quelle autre employer ? Je ne vais quand même pas écrire un récit fantastique, style : personne ne se doute que j'ai pris la place de l'autre, de celui qui m'a précédé sous cette forme, il est sorti et je suis entré, la substitution est passée comme une lettre à la poste. Ce ne serait pourtant pas un mauvais sujet : imaginez un acteur confronté à mille détails quotidiens, aux proches, obligé d'attendre, d'observer, de se reprendre – « ah oui, j'avais oublié » –, paraissant de plus en plus égaré, atteint, tumeur, gâtisme, alors que c'est le contraire (il s'habitue, il va mieux). On se regarde dès qu'il a le dos tourné, air entendu, accablement des épaules. Le même, l'autre. Le même dissimulant qu'il est habité par l'autre, mais lequel, depuis quand, à partir de quoi, dans quel but? Maladie ou ruse? Son vieux goût maniaque du secret, par principe, pour rien? Pourquoi le croire davantage aujourd'hui qu'hier ou avant-hier? En réalité, personne – ni père, ni mère, ni frères, ni sœurs, ni fonctionnaires, ni femmes, ni amis, ni enfants – ne remarquerait le remplacement, et la découverte serait là, dérisoire, énorme.

Certains sarcophages romains ou africains du premier siècle de notre ère portent les initiales suivantes : NF. F. NS. NC. Il faut lire, en latin : NON FUI. FUI. NON SUM. NON CURO. C'est-à-dire : « Je n'ai pas été, j'ai été, je ne suis pas, je ne m'en soucie pas. » Je me demande d'où et comment cette inscription est arrivée jusqu'ici, derrière les fusains et le puits. Grand bloc de pierre, pas de nom, lettres, quelqu'un. Pendant la vie, j'imagine, la formule devait être : « Je n'ai pas été, je suis, je ne serai pas, qu'importe. » Ou encore, en hébreu (mais seul Dieu, n'est-ce pas, avait le droit de le penser) : « Je suis qui je suis, je serai qui je serai, à bientôt, l'année prochaine ou dans quelques siècles. » Ou encore : « Je n'ai pas été, j'ai été, je suis, je ne serai pas, je serai de nouveau, et alors? » Pourquoi le verbe être devrait-il être à ce point central? Quel aveuglement oblige à penser qu'on ne peut pas être et avoir été? Petit papier cousu dans la veste, illumination, ivresse, nuit de feu, joie, joie, pleurs de joie, tout ça. « Le dernier acte est sanglant, quelle que belle que soit la comédie en tout le reste; on jette enfin de la terre sur la tête, et en voilà pour jamais. » Pour jamais? Qui peut le dire? Et ainsi de suite, toujours le film (cris des enfants sur les quais, sirènes des bateaux dans l'ombre).

Luz est descendue jusqu'à la piscine, maintenant, elle flotte sur le dos en regardant le laurier-rose sous lequel, dans dix minutes, elle ira s'allonger. Elle nage mieux que moi, on évite de se baigner ensemble, j'irai plus tard, quand elle dormira dans sa chambre, avant le dîner. Qu'est-ce qu'elle lit, là-bas, dans son paréo blanc sur les coussins bleus? *Le Dernier Nabab*, dernier roman plutôt raté de Fitzgerald, mort d'une crise cardiaque à Hollywood, le 21 décembre 1940, dans l'indifférence générale (guerre en Europe, nazis à Paris, préparatifs de Noël). Il avait commencé la veille le chapitre six. Note finale, en capitales : « L'ACTION EST LE PERSONNAGE. » Ou bien, l'interrogation devant le miroir, à six heures du soir : « Est-ce que j'ai le visage de la mort? » Ou bien, rythme idéal : « La soirée était douce, inoffensive, immobile, avec les innombrables autos du samedi. » Elle verra aussi une marque dans la marge pour : « Il n'y a pas de deuxième acte dans la vie d'un Américain » et pour : « Fille semblable à un disque, sans rien de gravé sur l'autre face. » J'ai dû mettre aussi un trait à côté de : « Astucieusement formulé, le contraire de chaque idée généralement admise peut rapporter une fortune » (il faudra que je lui demande si, en lisant cela, elle a pensé à Richard).

Qui êtes-vous dans la nouvelle réalité? Une apparence. Qui étiez-vous avant de naître? Une inapparence. Qui serez-vous une fois gommé? Une désapparence. On ne disparaît plus, on désapparaît. Les disparus, autrefois, avaient une chance de réapparaître (mémoire, documents, revenants, cultes), les désapparus, autre substance, non. Est-ce qu'ils vont sentir, tout de suite, là, que je suis en train de les transformer en virtualités, en esquisses? Oh non, vous n'allez pas recommencer ! Quoi ? Vous prétendez perturber le marché en retrouvant le geste intérieur des peintres ? Le système nerveux perdu ? Les veinules de l'ancienne affaire ? Les doigts, le globe, les déliés, les plis, la touffe insolente, les préparations rouges, blanches, les glacis, les frottis, les empâtements, le dessin direct au pinceau ? Toiles, bois, cuivres ? Comme ça, de chic, avec des phrases et des mots ? Devant nous ? Mais l'espace est depuis longtemps confisqué, cher monsieur, et le temps de même ! Vous n'avez pas la carte, la grille, le code d'accès ! Spectre assigné, comme tout le monde ! Somnambulez ! Dégagez ! Vous allez retarder la vente !

Geena, il y a deux mois, à New York :

– Il y a des choses qu'il vaut mieux ne pas trop savoir.

– Quoi ? L'argent ?

– Mais oui. Très compliqué et très simple. Tu ne sais rien du Temple et des deux colonnes : Sotheby's et Christie's. Après, forêt des cathédrales, basiliques, églises, chapelles. Ou si tu veux : musées, galeries, collections visibles, invisibles...

– Dis-moi.

– Trop long.

– Prends-moi dans ton réseau.

– Peut-être. Après tout, on a besoin de gens comme toi. Tu sais regarder, tu voyages, personne ne s'occupe de ton emploi du temps, tes bizarreries sont plus ou moins admises, tu sais être discret, écouter au troisième degré, rouage pour nous, terrain d'observation pour toi... On y pense.

Huit heures du matin, cinquante-deuxième rue ouest, trente-troisième étage sur l'Hudson, vitres teintées noires des gratte-ciel bourrés de bureaux, sensation coupante, trouée de lumière, au fond, de droite à gauche... Radio, programme classique continu, sonates, petit déjeuner, thé, café... Quel changement de Geena, aussi, dans les dernières années ; quel remodelage accéléré dans le bain d'acide...

Elle :

– Tu vis comment aujourd'hui ? Toujours Bella ?

– Toujours.

– Ta fille ? Fleur ?

– Douze ans. Progrès au piano.

– L'inspiratrice de l'année ?

– Personne (je mens).

– J'ai quelqu'un pour toi.

Autre début :

J'arrive, le petit palais est en ordre, le soleil brille sur les téléphones gris. Je suis passé par la porte dérobée de l'aéroport, à droite ; j'ai pris le canot, vite ; elle m'attendait sur le ponton, bonjour de la main à cent mètres ; on est allé dans la bibliothèque, je lui ai montré la mallette, sachets, clichés et billets. Puis on est monté dans sa chambre, on a fait rapidement l'amour, dîner, sommeil, levé tôt, course autour de la douane, sept heures. Allongé sur la terrasse, je regarde les premiers long-courriers entrer devant moi.

Ou bien : « Dès le matin, la tête encore tournée contre le mur, et avant d'avoir vu, au-dessus des grands rideaux de la fenêtre, de quelle nuance était la raie du jour, je savais déjà le temps qu'il faisait. » J'essaie parfois d'imaginer comment Proust s'en serait tiré à New York. Très bien, aucun doute. Il aurait adapté ses appareils. On l'aurait vu au *Pierre*, il aurait été l'ami de Truman Capote et d'Andy Warhol, au lieu de traîner derrière lui Montesquiou et Jacques-Émile Blanche. Il serait devenu un redoutable connaisseur de Wall Street. Balbec ? Long Island. Charlus ? Élémentaire. Bloch ? A la pelle. Les Verdurin? Partout. Il n'y a que Gomorrhe qui aurait présenté quelques difficultés de transposition, sans parler du décor aristocratique, à revoir. Aurait-il mangé casher dans l'avion? Peut-être (c'est meilleur, moins lourd). Il aurait été une vedette fascinée par le fax, télégraphie instantanée et résurrection de la main, dont il aurait inondé ses amis.

– Bon, dit Geena, j'appelle Londres.

Elle prend un feutre noir, trace « Hello what's new? », signe *Mozart*, compose un numéro de téléphone, introduit la feuille de papier.

– Mozart?

– Nom de Code, pas de raison de se priver. Nous devrions avoir vite la réponse de Cézanne.

En effet, grande écriture fine en retour : « Blue sky. Bravo for Jacopo. Kisses. *Cézanne.* »

– Amuse-toi si tu veux. Donne mon numéro.

J'écris à mon éditeur italien : « New York, lundi, 9 h. Puis-je vous rencontrer lundi prochain à Milan? J'aimerais rediscuter avec vous mes droits en serbo-croate. Bien à vous. *Crébillon fils.* »

Le secrétariat fonctionne là-bas, et nous lisons dix minutes après : « Monsieur Nessuno est désolé, il est à Rome lundi, cher monsieur Crébillon. Mardi, 16 h, vous convient-il? »

– Une petite maligne, dis-je. Qui est Jacopo?

– Jacopo da Carucci, Pontormo, plus de trente-cinq millions de dollars pour le portrait présumé de Cosimo, deuxième duc Médicis de Florence, premier grand-duc de Toscane. Mieux que les dix millions d'il y a cinq ans pour Mantegna et son *Adoration des mages.* Encore le Getty, Malibu. Tu prendrais Crébillon comme pseudo?

– Je ne crois pas.

– Curieusement, la montée des prix a suivi l'extension du fax.

– Fax tibi, evangelista meus...
– Quoi?
– Rien, je pense aux inscriptions de Venise. Tu n'aurais pas quelque chose pour moi là-bas?

Les Égarements du cœur et de l'esprit datent de 1736. Claude Prosper Jolyot de Crébillon a vingt-neuf ans. Première phrase : « J'entrai dans le monde à dix-sept ans, et avec tous les avantages qui peuvent y faire remarquer. » Début du quatrième paragraphe : « L'idée du plaisir fut la seule qui m'occupa. »

Rire de Geena : « Une planète où tout est à vendre. »

Donc : comme toujours, ici, vers le dix juin, allongé sur la terrasse du toit, je regarde les long-courriers bleus, blancs et jaunes, passer devant moi. Luz, en bas, vient de sortir, pour acheter du champagne et des cigarettes. D'où viennent les phrases? Cercles d'air instantanés, mouvements bouclés, lois.

D'habitude, les inscriptions funéraires sont bêtes, naïves, vaguement mystiques, édifiantes ou mélancoliques. Les plus inventives : « Et in Acardia ego », ou : « Il vécut, écrivit, aima. » Mais il y a aussi les terrorisantes, et la palme revient là, sans conteste, à la base de la *Trinité* de Masaccio, à Santa Maria Novella de Florence. Image du squelette couché, avec coup de poing névrotique et pseudo-démocratique au regardeur : « J'ai été ce que vous êtes, vous serez ce que je suis. » Oui, vous, là, passant, homme, femme, touriste, amateur respirant et sentant, milliardaire, employé, savant, secrétaire, journaliste, flic, philosophe. Squelette? Hommelette? A bon regardeur, caveau! Au contraire, mon sarcophage dans les fusains, lui, tombé du ciel ou plutôt ramené ici par un libre penseur discret, vise un tout autre effet. Il pourrait être le dernier séjour d'un peintre ou d'un musicien qui en a assez vu ou entendu comme ça. « Je n'ai pas été ; j'ai été ; je ne suis pas ; je ne m'en soucie pas. » Comment avoir l'insolence de dire à la fois qu'on *n'est pas* et qu'on *est sans souci* ? Ne pas être serait une façon positive d'être ? Ne pas être pourrait revenir à être insouciant ? Être, ne pas être, pas de question ? Dormir non plus ? Rêver, encore moins ? Pas de néant, ni peur ni reproche ? Finis la fantasmagorie d'osselets fouettés par la faux, les enterrés vivants, les pieux dans les cœurs, les bruits de chaînes, les tables tournantes et les hurlements dans la nuit, la lune piégée, les rideaux et les draps hantés, le soleil noir d'où rayonne la nuit, les crânes s'entrechoquant dans la mousse, les charniers alignés, les massacrés gracieusement disposés côte à côte dans les forêts, ou bien partis, mais toujours subsistants, en fumée ? Quoi ? Rien ? Du vent ? Ou bien je délire (mais non), ou bien cet enseignement est unique. Il a dû être persécuté partout, comme les sept scandales du credo épicurien : 1) l'univers est infini ; 2) les mondes existent en nombre infini ; 3) notre monde périra ; 4) le vide existe ; 5) les dieux ne se soucient pas des affaires humaines ; 6) notre âme est de nature matérielle ; 7) la mort est comparable à un sommeil éternel. Ajoutons-en un huitième : les femmes, y compris les prostituées, introduites dans la philosophie du jardin. Quant aux autres : « Ils meurent des efforts qu'ils font pour ne pas mourir. » Ou encore Épicharme : « Les éléments se sont assemblés, puis ils se sont désassemblés et sont retournés là d'où ils étaient venus : la terre dans la terre, l'âme en haut. Quel mal y a-t-il à cela ? Aucun. » Pas besoin d'âme, d'ailleurs, buée inutile. Cube de pierre, message gravé. En revanche le squelette de propagande qui vous interpelle chez Masaccio, comme le christ mort horizontal médico-légal de Holbein qui impressionnait tellement Dostoïevski, sont *peints*. Le silence de la peinture frappe comme la mort (cercueils à momies tapissés de bandes dessinées d'outre-monde, boîtes-téléviseurs forçant l'esclave à se voir et à se croire vu). Un squelette vous parle : difficile de faire plus exacte négation du sexe. Mort et peinture, Bourse et coffres-forts en folie. Suicide de Van Gogh ? Cézanne répétant, et pour cause, « mourir en peignant, mourir en peignant » ? Mais, comme dans la désapparence réglée d'aujourd'hui, personne ne meurt plus ni ne vit plus réellement (ce serait contrarier la rotation financière), allez donc demander dans l'Entreprise si quelqu'un est irremplaçable. L'Entreprise (tunnels, routes, assurances, publicité, avions, bateaux, supermarchés, usines, tours, boissons, pétrole, banques, surgelés, magasins, magazines, cinéma, électronique, fusées, musées, politique, inséminations, cassettes, pharmacie, disques, disquettes) possède, directement ou indirectement, les chaînes de télévision, les maisons d'édition, les journaux, les radios. Ça tourne. Fin de l'histoire ? Fin de *votre* histoire, plutôt. Pillage individuel et mondial hyper-compliqué, chaque point du circuit en relation avec tous les autres. Et vous ? Allez-vous assister à la destruction de Venise (vieux désir jaloux universel), concert rock, jeunesse planante et niaise, sacs de couchage, poubelle généralisée, type en jean et blouson allant pisser, au petit matin, contre le portail de Saint-Marc ? A quelques centaines de mètres, pourtant, silence, lumière, cahier griffonné, fleurs. Que peut-on objecter à quelqu'un qui a joui ? Rien. Sarcophage couché sous les feuilles : *sum, non sum, non curo.*

En un siècle, d'Urbain Le Verrier à Edwin Hubble (mort en 1953), les galaxies ont quand même pris une autre allure (ce n'est qu'un début). Explosion, contraction, big bang, big crunch, vous avez le choix. Il n'empêche qu'il faut bien poursuivre ici même sa microscopique existence, *n'est-ce pas*, chers frères virus, chères sœurs cellules... En orbite à six cents mètres de notre boule déboussolée (il en fait le tour en une heure et demie), le télescope spatial va donc jeter un œil un peu plus loin sur les commencements de notre roman. Là où on voyait une étoile, il en montrera soixante mille. Caméra à grand champ planétaire, caméra pour objets de faible luminosité, spectrographes curieux des quasars, photomètres ultra-rapides pour trous noirs... L'ensemble a coûté deux milliards de dollars : soixante toiles de Pontormo.

En somme, il faudrait parler désormais de cabine de désapparence, comme on l'a fait de machine à remonter le temps. On comprend que cette dernière ait été imaginée à la fin du dix-neuvième siècle, durée obligatoire, ligne droite, puritanisme, obsessions macabres, messianisme social, échine courbée du profit. Mais maintenant, globe à bulles? Ruissellement mafieux? Multitudes de cloques sans direction ni futur? L'accumulation avait sa tragédie, la surmultiplication a son terrible comique. Le grouillis d'éphémères? En cabine! Comme d'habitude, les téléfilms de science-fiction montrent la voie : navette interstellaire, échiquier d'ordinateurs et, à l'occasion, dématérialisation des corps et recomposition par transfert d'ondes. On entre sous l'arche nucléaire, on s'évapore, on se reforme à quelques années-lumière, dans un autre vaisseau cosmique – et retour. Si, au passage, on est tué au laser, on se résorbe sur place comme une flaque d'atomes. Maîtrise des réacteurs, tout est là. Je propose, d'ailleurs, un nouveau compteur : le détecteur de désapparences. Ici ou là, faites le test. Bourdonnements, chiffres : tous les désapparus à votre disposition, en foule. La bousculade étant énorme, il sera nécessaire de filtrer, d'où nouvelles inventions en cascade. Entre-temps, vous pouvez vous concentrer sur les disparus classiques. « J'appelle Watteau, Jean-Antoine. – Il est débordé, monsieur, très demandé en ce moment. – J'appelle Mozart – Vous n'y pensez pas, impossible de l'obtenir avant quatre ou cinq ans, même avec le numéro infrarouge. – Marcel Proust? Stendhal? – Pareil. » Il faut donc se rabattre sur les noms moins connus, mais jusqu'à Danchet, par exemple, l'auteur, avec Campra, des *Festes vénitiennes*, ballet de 1710, répond occupé. Et jusqu'au chorégraphe Pécour. Ils sont pris d'assaut, les apparus les assiègent, le moindre témoin de l'ancien monde (du temps où il y avait un monde) est hors de prix. Les vrais morts sont sans cesse au travail.

– Triomphe des masques, dit Geena. Société du spectral. Ce n'est pas plus mal, au contraire.

– Ça dépend pour qui. Tu connais le revenu moyen annuel d'un Éthiopien?

– Non.

– Cent trente dollars.

C'était amusant, cette séance d'infiltration réciproque entre Gee et moi, à New York. Je n'ai pas beaucoup quitté son appartement pendant une semaine. Cette fois, elle avait décidé de m'approcher, après un an de tangentes. Séquences physiques? Neuf fois sur dix, épreuves sélectives de pouvoir. En fin d'après-midi, on allait au *Palio*, pas loin du MOMA, prendre un verre. Puis des amis, et rentrée chez elle. Très bien, réflexes, sans plus.

– Richard prétend qu'il baise plus que toi.

– Peut-être, mais il jouit peu.

– Qu'est-ce que tu en sais?

– Le fait qu'il en parle. Encore un slogan, comme partout,

et c'est pourquoi les prix flambent. Beaucoup d'affaires, beaucoup de misères. Plein d'images, peu de corps. Centaines de tableaux exécutés, rares surfaces profondes. Litres de sperme, milligrammes de lévitation. Il est étonnant que cette disproportion soit si peu étudiée en elle-même, comme si la représentation ou l'acte avait une valeur en soi. Stéréotypes productifs ou libérateurs, sensations censurées. Ce sont les mots qui manquent. Écoute : « Je travaille à son portrait, la tête avec une casquette blanche, très blonde, très claire, un frac bleu et un fond bleu cobalt, appuyé sur une table rouge sur laquelle il y a un livre jaune et une plante de digitale à fleurs pourpres. »

– Oui?

– « Un tronc de pin rose et puis de l'herbe avec des fleurs blanches et des pissenlits, un petit rosier et d'autres troncs d'arbres dans le fond tout en haut de la toile »... « Au milieu un parterre de roses, à droite une claie, un mur, et au-dessus du mur un noisetier à feuillage violet »... « J'ai revu la campagne après la pluie bien fraîche et toute fleurie »...

– Van Gogh?

– Pas mal. C'est l'époque, à la fin de sa vie, où il parle de Giotto et où il s'est remis à lire les pièces historiques de Shakespeare qu'il compare à Rembrandt, « cette tendresse navrée, cet infini surhumain entr'ouvert et qui alors paraît si nature ». A combien estimes-tu ces phrases?

– Les manuscrits? Pas encombrants et facilement monnayables. Un cahier volé d'Artaud, par exemple, vient d'atteindre huit cent mille francs alors qu'il était assuré pour quatre cents. Narco-dollars? Ce serait drôle dans son cas.

– Pas les manuscrits, *le sens.*

– Mais... rien, bien sûr, quelle idée. Je peux quand même te donner une information : on va bientôt retrouver par hasard deux Van Gogh volés aux Pays-Bas, dont une version des *Tournesols.*

– Comme ça ?
– Comme ça.

Geena a raison, le sens ne vaut rien en soi, tout dépend de sa mise en perspective selon les intérêts des propriétaires d'une époque. On dira donc que la nôtre ne ressemble à aucune autre dans la mesure où elle a mis hors la loi la conscience verbale développée. A sa place, la peinture est chargée de briller comme une transaction immobilière permanente. Le livre d'Artaud, *Van Gogh, le suicidé de la société* est paru en 1947 à Paris, tiré à trois mille exemplaires. Il a eu un certain succès et même un prix littéraire (le prix Sainte-Beuve, un comble). Réimprimé luxueusement aujourd'hui, avec des illustrations en couleurs, il tombe dans l'indifférence quasi générale. Le texte est très clair mais illisible sauf pour cent personnes, et encore. C'est pourtant l'équivalent le plus strict de ce qu'on peut ressentir devant les tableaux. Pourtant ? Non, *parce que*. Qui, entre deux publicités, et à supposer que les signes typographiques arrivent encore jusqu'au cerveau pour former une proposition d'ensemble, va comprendre des phrases du genre :

« l'empreinte, comme l'un après l'autre, des poils du pinceau dans la couleur, la touche de la peinture peinte, comme distincte dans son propre soleil, l'i, la virgule, le point de la pointe du pinceau même, vrillée à même la couleur, chahutée, et qui gicle en flammèches que le peintre mate et rebrasse de tous les côtés » ?

Voilà pourtant ce qu'un drogué de télévision, clone promis à la désapparence, verrait s'il pouvait avoir accès aux originaux en lui. Mais comment faire? Autant lui souhaiter une rage de dents, une nausée cataleptique, une chute de dix mètres, la découverte de trois cadavres mutilés au pied de son immeuble ou la simple contemplation désintéressée d'une tache de lumière sur un mur. Allez donc parler de poils de pinceau à des Japonais pour lesquels les poils sont l'obscénité même! Non : ces corbeaux ne doivent plus jamais nous hanter. Cette oreille coupée témoigne seulement des faiblesses passées d'une économie tâtonnante. Ils sont contemporains de mauvais penseurs qui la critiquaient : on a vu la suite. Ces soleils étaient, par anticipation, comme chez Monet, les drapeaux d'un empire levant triomphant. Cet autoportrait roux, mangé de mouches, est transformé par le yen en assurance tous risques (ce sont d'ailleurs de plus en plus les Assurances, comme par hasard, qui achètent les tableaux). Coupez non seulement l'oreille mais la bande-son : l'image suffit, son commentaire est obscur et pathologique. Virement direct à Tokyo.

Pauvre sublime Artaud, assassiné de la société... Combien coûtait, après la guerre, les flacons d'hydrate de chloral dont il se gorgeait contre ses douleurs? Qui les lui donnait? Avec quelles ordonnances? Est-il vrai que ses amis sont allés dire au curé d'Ivry qu'il ne pouvait pas être enterré religieusement puisqu'il s'était *suicidé*? Menaçant même le type ahuri dans sa sacristie de manifester sur le passage du corbillard? Effroi prévisible du fonctionnaire sacerdotal... Pendant ce temps, disparition des dessins et des papiers entassés dans la chambre de son petit pavillon sans feu. La famille les aurait-elle détruits? Peut-être. Pas sûr. Obscur.

Ce n'est donc pas étonnant si les services de police chargés de la drogue et du trafic d'œuvres d'art s'unifient : même région d'irréalité très réelle. La nourriture, les armes, la drogue, l'art : zones financières massives. Artaud était lui-même un spécialiste : opium, cocaïne, héroïne, peyotl au Mexique, « couché bas pour que tombe sur moi le rite, pour que le feu, les chants, les cris, la danse et la nuit même, comme une voûte animée, humaine, tourne vivante, au-dessus de moi »... Et le but n'était pas pour lui, on s'en doute, de « ramener une collection d'imageries périmées, dont l'Époque, fidèle en cela à tout un système, tirerait tout au plus des idées d'affiches et des modèles pour ses couturiers »... Le voici quittant Mexico le 31 octobre 1936 et débarquant à Saint-Nazaire fin novembre. Son expérience d'asile psychiatrique, après son séjour en Irlande, n'a pas dû être bien différente de celle de Van Gogh, plus terrible, si possible, à cause de la guerre (quarante mille morts de faim entre 1940 et 1944, extermination douce, à la française). Diagnostic à propos d'Artaud, en date du 1er avril 1938 à Sainte-Anne : « Syndrome délirant de persécution : complot de policiers qui essaient de l'empoisonner, envoûtement magique violentant son langage et sa pensée qui est ainsi connue et entravée. Personnalité double : il connaît peu et par ouï-dire la personnalité qui porte son nom, Artaud; il connaît beaucoup mieux et par souvenirs familiers une autre personnalité qui porte un autre nom. Aisance, suffisance, recherche de clarté et de précision. » Certificat de quinzaine : « Prétentions littéraires. »

Voici maintenant le témoignage d'un infirmier sur la vie hospitalière du temps :

« Les malades arrivaient en car. Ils étaient conduits dans une grande salle comptant une douzaine de douches, priés, ou obligés, de se mettre nus et de se doucher, pendant que les infirmiers inventoriaient et empaquetaient leurs objets personnels confisqués à l'arrivée, ou transmis des hôpitaux précédents. Les nouveaux venus, troublés, ne comprenaient pas ce qui leur arrivait, les plus anciens étaient résignés. En arrivant au pavillon, tous étaient couchés. Il ne leur restait plus rien de ce qui aurait pu les rattacher à leur femme, à leurs enfants, à leurs parents, à leur travail, à leur passé et à leur vie de tous les jours ; plus de papiers d'identité, plus de portefeuille, plus de bague, plus de ceinture, plus de briquet, plus de lunettes, plus de souliers, plus de slips, plus de maillots de corps, plus de lacets, plus d'argent... Les toilettes avaient au mieux des demi-portes pour que les patients ne puissent pas se pendre en cachette. Les repas servis à heures fixes étaient distribués sur un chariot passant entre les tables. Pour six hommes, il y avait un seul couteau, dont l'usage était étroitement contrôlé, et personne ne pouvait se lever avant que tous les couteaux aient été ramassés. »

Après l'arrivée des Allemands, l'Assistance publique ayant supprimé toutes les subventions pour la nourriture, on vit les malades manger l'écorce des arbres, l'herbe des pelouses, voire leurs excréments.

La mère d'Artaud venait quand même le voir deux fois par semaine et lui apportait des colis et des cigarettes. Il lui écrit le 23 mars 1942 :

« Il faut les forcer à vous livrer des noix, des noisettes, des pistaches, des amandes et des chocolats pour moi... Des tomates, des olives, des croustades au fromage et aux champignons... Des raisins de Malaga, des galettes, du pain, un petit flacon d'huile, des dattes, des figues fourrées... »

Artaud est mort dans la nuit du 3 au 4 mars 1948, à cinquante-deux ans. On l'a trouvé le matin au pied de son lit. Il avait écrit peu auparavant à un ami : « Il faut que je vous apprenne un secret. Ce qui fait que l'on meurt, c'est que depuis l'enfance on croit à la mort. On se voit entre quatre planches dans un cercueil, c'est cela qui nous fait mourir, mais si vous vous refusez à cette idée, vous ne mourrez jamais. Je parle de mon corps physique. Je suis immortel et je continuerai toujours à vivre comme aujourd'hui. Voyez-vous, à partir d'aujourd'hui, il faut que vous refusiez la mort. Alors, vous non plus, vous ne mourrez jamais. »

Une lettre à André Breton, de 1947 (date du *Van Gogh, le suicidé de la société*), donne par ailleurs son sentiment final s'agissant de l'art :

« Vous m'avez demandé un texte pour une manifestation d'art ;

excusez-moi

mais je ne peux pas considérer autrement cette exposition du Surréalisme international qui aura lieu dans une galerie capitaliste (disposant de forts capitaux, fussent-ils pris dans une banque communiste) et où on vend très cher en tous temps des toiles de peintres surréalistes bon teint, et AUTRES ;

André Breton, voilà près de trente ans que vous me connaissez, je ne veux pas écrire pour un catalogue qui sera lu par des snobs, de riches amateurs d'art, dans une galerie où on ne verra pas d'ouvriers et de gens du peuple parce qu'ils travaillent pendant le jour. »

Réflexion d'après-guerre. Cinquante ans après, on peut faire défiler en visite guidée des « gens du peuple » ou des « ouvriers » devant des Van Gogh, ils ne liront pas Artaud pour autant. Pas plus que les banquiers, les snobs, les riches amateurs d'art, les postcommunistes, les postmodernistes, ni d'ailleurs les artistes, ni les post-artistes. Quarante mille morts ? Détail.

Geena : « Des narco-dollars ? Ce serait drôle dans son cas. »

Luz : « C'est très beau. Bouleversant et très beau. »

Je dors, je descends vers quatre heures de l'après-midi, pas de bruit dans le jardin clos, c'est le moment où les hirondelles piquent dans la piscine pour boire, leur ventre rase l'eau en devenant bleu, elles frôlent ma tête, elles ponctuent le silence comme des balles. Luz est dans sa chambre, nous venons, à distance, d'échanger nos sommeils. Lit, table, nage ; et, de nouveau, lit, table, nage. On a fait l'amour hier, on le refera demain, jour parenthèse. Le grand mur, bordé d'acacias, nous protège du quai, personne ne peut voir l'intérieur de la construction blanche et rose, la vie se résume bien à cela, trouver le lieu, l'heure, l'autre qu'il faut. Comme si on était en bateau, sans les ennuis de la navigation, roses et papillons en plus, endroit trouvé, temps ouvert, peau vérifiable.

Stendhal, *Les Privilèges*, article 14 : « Si le privilégié voulait raconter ou révélait un des articles de son privilège, sa bouche ne pourrait former aucun son et il aurait mal aux dents pendant vingt-quatre heures. » C'est écrit le 10 avril 1840 à Mero, c'est-à-dire à Rome qu'il appelle, aussi, Omar ou Amor (« Mais dites donc, Stendhal, on transforme pour soi seul les privilèges abolis de l'Ancien Régime ? On regrette au moins ses opinions révolutionnaires de jeunesse ? On reconnaît son erreur à propos de Napoléon, ce grand criminel ? Non ? Pas d'autocritique ? Pas le moindre *mea culpa* ? Vous refusez d'admettre que vous avez été pour le moins *léger?* » – Approbations bruyantes sur les bancs de la Restauration, des voix s'élèvent, dont celle, reconnaissable, du baron de Norpois : « autocritique! autocritique! »). Cependant, rien ne m'interdit de corriger : « Le privilégié pourra raconter et révéler tous les articles de son privilège, assuré qu'il est que personne ne s'en rendra compte ni ne le croira. Il le fera dans le but d'encourager un autre privilégié au cours des âges. Que celui-ci aille plus loin : l'homme est parfait, le progrès existe. Niseve, 1989. » Venise peut aussi s'écrire : *Vienes.* Le 1er juillet 1836 a lieu la publication du premier numéro de *La Presse.* Le 6 septembre : premier ministère Molé. La presse? « La coquinerie, lâche et profonde, le profond jésuitisme, des rédacteurs du *Journal des Débats.* » Ou bien : « La société prolongée avec un hypocrite me donne un commencement de mal de mer. » Ou encore : « On m'estime mais on ne m'aime pas. Tout cela vient de ce que dire des puérilités pendant douze heures chaque jour m'assomme. » Changez les noms, les dimensions et les dates, la comédie restera la même. Réglez la technique, les vanités, les mensonges, les crimes, l'exploitation froide des besoins comme des désirs, vous gardez le système nerveux du montage. Là-dedans, parfois, un rêveur au travail : pour l'instant, moi. Notant, par exemple : seule façon de s'en tirer, une grande pensée, un grand vice. Si possible, les deux à la fois. Débrouille-toi pour qu'ils pensent que tu es comme eux. Ou bien rien. Fais alterner ça dans leur tête, *et passe la nuit.*

– Aucune issue?

– Il faut attendre que ça passe.

– Mais plus tard, ce sera pareil.

– Je n'ai pas dit d'attendre que ça change, mais que ça passe.

– Mais on sera morts!

– Et alors?

Ce qui compte, là, tout de suite, c'est le corps à promener d'un bout à l'autre du grand rectangle liquide, le bleu dans la bouche et les yeux, les hirondelles plongeant à droite et à gauche, la pensée intermittente de Luz nue dans sa chambre, le plaisir d'être cachés ensemble, d'avoir pour le moment échappé à la surveillance. « J'ai quelqu'un pour toi » : sacrée vieille et toujours jeune et professionnelle Geena, pas un moment sans calcul, les hommes s'agitent, les femmes font semblant en restant immobiles, toile d'ondes, échange d'informations sur les bourdons mâles, additions, corrections, décisions. « J'ai quelqu'un pour toi » : à qui pense-t-elle ? A Nicole, Paris ? Probable. Avantages en tous sens, réseau des musées, elle pourrait aussi la surveiller à travers moi, elle la trouve sans doute, ces derniers temps, trop prudente ou trop autonome. Savoir ce que quelqu'un fait, où il est, avec qui, ce qu'il rumine et projette, quel est son état d'esprit, de santé, d'argent. Stendhal rend responsable de ce contrôle, en 1830, la *congrégation* : « Elle a mis partout la délation et l'espionnage. Ses chefs ont voulu connaître le nom du journal qui était là dans chaque maison de chaque petite ville de France et ils y sont parvenus. Ils ont voulu savoir les visites qu'on y recevait pendant chaque journée et ils l'ont su, et tout cela sans frais, sans dépenses, uniquement par l'espionnage volontaire des personnes bien pensantes. »

Qu'est-il arrivé depuis ? La dissolution de l'illusion comme quoi il pourrait y avoir des personnes mal pensantes. La disparition de l'anonymat fluctuant des grandes villes au profit d'une province généralisée. La non-pensance hygiénique et malveillante est partout, ce qui rend d'autant plus logique, par compensation, l'endiablement du marché d'art. Se l'approprier, l'effacer. Depuis quand? Dix ans à peine? Pour combien de temps? Impossible à prévoir. Tant qu'il y aura des réserves (et elles sont nombreuses). Donc, l'argent est là, suinte là, gonfle là, s'excite là, passe et repasse par là, se multiplie là, double, triple, quadruple, décuple, cinq fois plus pour un Gauguin, cinquante fois plus pour un Picasso, on a l'impression que les œuvres montent d'elles-mêmes en négatif et qu'il s'agit de nier désormais à coups de milliards leur nature hors prix. L'industrie du faux s'organise, les vols sont monnaie courante, les négociations de l'ombre n'arrêtent pas, les intermédiaires sont sur les dents, les cathédrales et les châteaux sont systématiquement délestés, panneaux, livres, émaux, cheminées, statuettes, timbres, meubles, vases, médaillons, bijoux. La Suisse ne sait plus jusqu'où numéroter les comptes, les télex crépitent, les fax écrivent la nuit, les ventes se succèdent en rafales, banquise en expansion, repérages, estimations, intoxications, raids, poker de volumes et d'époques. Le Japon immémorial et électronique se prosterne devant le sensuel Monet dans sa barque? Money! Une nouvelle rétrospective truquée, une réécriture insidieuse des catalogues, une exposition changeant quand il faut les perspectives, tout doit aider la modification des cours. Enterrer des tableaux dans les coffres-forts est devenu un passe-temps passionné mondial. Entendez-vous, au bord de la forêt, les hurlements d'une vieille dame malade enfermée sans nourriture et sans soins dans l'aile gauche de son manoir? Ses appels déchirants au secours? On est simplement en train de lui *capter* son Murillo, son Titien, ses pastels de La Tour... Sa voix devient de plus en plus faible... Son corps décharné tombe au pied du lit... Déjà, la moitié de ses fauteuils est à Zurich, sa pendule Louis XV à Bâle... Elle n'a plus rien à signer contre une bouillie ou une piqûre calmante? Non? Alors, débranchée! A la suivante! On m'en signale une, là-bas, en Auvergne... L'arrière-pays regorge de trésors insoupçonnés, de chapelles perdues, de carmels plus ou moins en ruine... Voyez ces étranges touristes, ces hommes pressés, ces femmes élégantes, leurs appareils photo, leur curiosité, leur goût toujours si raffiné... Comme ils aiment la campagne! Venant de si loin! Comme ils sont attentifs, précis, polis, pleins de sollicitude, respectueux des usages locaux, cultivés, amateurs de beauté ancienne! Ce couple charmant revient du Népal, il va repartir pour l'Italie, à moins que ce ne soit pour l'Espagne... Ou plutôt l'Océanie... Avant de rentrer en Californie après un détour par la Grèce... On signale deux Apollons ici, un Bouddha là... Une minuscule et très pure Aphrodite par-ci ou par-là... Sans parler de ce *gros coup* en préparation, dans cette villa près de Vienne...

Bon; serviette, cigarette. Il est temps de monter voir notre œuvre d'art personnelle allongée sur son lit. J'ai ma bague d'invisibilité? Article 4 : « Le privilégié ayant une bague au doigt et serrant cette bague en regardant une femme, elle devient amoureuse de lui à la passion comme nous croyons qu'Héloïse le fut d'Abélard. » Un tour de plus, et l'affaire devient, disons, plus prenante. Deux tours supplémentaires, et de profondes ténèbres dérobent la scène aux regards.

Elle a son téléphone, elle sort quand elle veut, elle va et vient comme elle veut. Une seule règle : ne parler de moi à personne. Si elle ne s'y tenait pas, je le saurais vite. Elle est donc à Venise, « chez des amis ».

Maintenant, je la regarde endormie, ou faisant semblant, comme, parfois, je le lui demande. Boule ronde et blonde (blonde : son prénom, à l'oreille ne le laisse pas supposer), plutôt petite, fine mais ronde, ses yeux très bleus sont fermés, les mêmes que ceux de sa mère, je suppose, mère suédoise, père italien, le prénom espagnol est venu par la mère du père pendant que la génétique du Nord l'emportait. Vingt-trois ans, née en 1966 à Los Angeles, jeune fille, jeune femme, mythologie Ingrid Bergman et Rossellini, glace et volcan, grâce et tremblement de terre, elle est étudiante en physique et astronomie à Berkeley, je la connais depuis six mois, elle était venue à Paris pour Noël, rencontre par hasard au Louvre, mais oui, c'est comme ça, un auteur anonyme l'a dit : « Il m'arrive ce qu'il faut quand il faut, je n'y peux rien, je m'accroche. » Ou bien, selon la formule préférée de Luz : « On appelle singularité la région centrale des trous noirs. » Cela donne, de temps en temps : « N'oublie pas qu'on appelle singularité », etc. avec un sourire blond-bleu qui éclaire d'un coup ses joues et ses cheveux courts. Pour elle, un écrivain (Stendhal, Proust, Artaud, les autres) est une sorte de trou noir dans le cosmos humain, une sorte de trafiquant de l'antimatière, avalant tout, même la lumière, ne laissant rien échapper, ne renvoyant rien. Reproche? Sans doute, mais excité. Non, non, pas prisonnière, *détournée*. Esprit scientifique, mais curiosité esthétique (c'est donc un peu pour elle si je me suis réembarqué dans l'affaire Geena, chaque nouvelle femme oblige à vérifier les galeries de l'existence menée jusqu'à elle, expériences, sensations, connaissances, je ne m'en serais pas cru encore capable, fatigue, mais non, aucun hasard, la chance, puisqu'on se déplace dans un monde de plus en plus sans mémoire, énorme trou noir, en effet). Elle a juste son T-shirt blanc, elle est très bronzée, blanche brune blonde, jambes chaudes, je continue à l'observer depuis le fauteuil, volets à demi fermés sur les acacias et les lauriers, trafic lointain du quai, le lit est à la perpendiculaire du large canal brillant où passent les paquebots, il est parallèle à la piscine, en bas, ouverte dans le jardin, la nuit va descendre par plans inégaux et frais. Elle dort vraiment, bouche pulpée entrouverte, lèvres douces, pas du tout scientifique à présent, ou plutôt si, dans un autre sens, je la vois scrutant ses ordinateurs, pianotant sur les claviers pour faire apparaître les données, les équations, les courbes, les images numériques des recoins non visibles à l'œil nu, il y a ça dans son regard, la familiarité, déjà, avec l'au-delà des apparences, une forme de franchise calme et un peu brutale, une absence de peur. Elle a voulu écouter hier, à la radio, une pianiste qu'elle connaît, une fille de quatorze ans, Vanessa Perez, se faufilant avec énergie dans des sonates de Haydn, une Californienne bien nette, elle aussi, venant du Venezuela pour donner un concert à Padoue... Il y a des talents partout, à l'instant même, on les filme, on les enregistre, et c'est comme si personne ne savait en parler : jamais on n'aura vu autant de phénomènes et une aphasie aussi forte.

Je m'en tiens à mon tableau : la porte-fenêtre, le rai déclinant de lumière, le lit, le visage rose et brun de Luz, de biais, sur l'oreiller blanc, sa tête dorée, sa respiration, son oreille gauche, sa légère oreille gauche de visage à fossette à moitié enfoui, son sexe blond, ses seins sous le coton froissé, celui de droite entre les lettres B et E, celui de gauche entre E et Y, Berkeley, son front tiède, son menton au goût d'abricot, ses hanches, ses poignets, ses genoux, ses chevilles. Il faut voir et sentir tout cela à la fois et touche par touche. Je me lève comme je suis entré, sans bruit, je traverse le long couloir, je vais dans ma chambre plus profondément dissimulée sur le jardin, je pense que voilà une situation construite ou une très bonne dérive, comme on aurait dit autrefois, et je regarde les papillons en contrebas autour des glaïeuls et des roses. Pensant aussi à reprendre cet article en retard sur Stendhal :

« Cet esprit fin et singulier ne daignait pas même exprimer son mépris, et à la moindre apparence de vulgarité ou d'affectation, tombait dans un silence invincible. »

– Vous aimez la danse?

Elle s'est à peine retournée sur moi, elle continuait à regarder. C'était le matin, tôt, il y avait peu de monde, j'étais venu sans intention précise, mais je manque rarement d'aller voir ces tableaux. Ils sont pour moi les plus mystérieux du monde, j'ai toujours imaginé qu'il m'arriverait quelque chose d'heureux grâce à eux, j'ai encore, dans un cahier d'enfance, des reproductions médiocres et jaunies de ces éclatants pressentiments du parfait non-temps : *La Finette, L'Indifférent*. Qui dit mieux? Plus nacré-profond, profilé, libre? Comment ne pas être condamné par de tels verdicts? A l'année prochaine devant *L'Indifférent*, à toutes les années prochaines devant *La Finette*. Je veux bien qu'on les appelle comme ça, moi, bien que ces titres empêchent plutôt de les voir. Mais, après tout, pourquoi pas des masques? Watteau est l'agent le plus secret, le véritable agent W, comme on dit dans les services d'espionnage pour désigner celui ou celle qui est chargé d'entrer au cœur du dispositif adverse... Réserve, retournement d'identité, couverture, briquet ou stylo laser, spécialiste des codes... Élémentaire, chaque lettre apparente correspond à une autre lettre, A se lit O, par exemple, ou B, S... D'autres embrouilles... Comme dans les rêves, comme dans n'importe quel discours, je vous dis ça mais je pense ça, tiens, pour mieux vous tromper, je viens de dire exactement ce que je pense... Autres trous noirs, les peintres... En pleines prunelles... Décollant la rétine, brûlant l'iris... Les puissants achètent ce qu'ils ne pourront jamais pénétrer, ou plutôt ce qui les enferme à jamais dans leur cécité. « C'est justement le fait de caractériser une chose comme " valeur " qui dépouille de sa dignité ce qui est ainsi valorisé. »

– Vous comprenez le message?

Cette fois, je l'ai intriguée. On s'est beaucoup promené, ce jour-là, moi et ma petite physicienne luciférienne, un beau dimanche de janvier bleu-sec, argenté... Elle habitait près de chez moi, en haut du boulevard Saint-Michel, on a tourné autour de l'Observatoire, je lui ai montré la statue de Le Verrier dans la cour d'entrée mangée d'herbes, l'inventeur de Neptune, fier, un peu rejeté en arrière, ses papiers à la main... Pour la première fois, j'ai remarqué que la rue Cassini (celle de Balzac) n'a pas de numéro 13, j'y passe pourtant chaque jour, on était soudain derrière le long mur blanc, on avançait dans une autre rue imaginaire et sans nom, parallèle... Même étonnement devant l'inscription frontale de l'église désaffectée qui ferme la perspective : Sanctissimae Trinitati et Infantiae Iesu, Sacrum; bâtiment perdu, télégramme sans destinataire dans la pierre. Je l'ai embrassée là, sous les arbres nus. C'est elle qui a noté, ensuite, la prolifération, dans le quartier, des coupoles et des représentations du globe terrestre : fontaine-zodiaque de Carpeaux (compatriote de Watteau, il a réalisé sa statue à Valenciennes); statue du lieutenant de vaisseau Garnier (1839-1873) – Indochine, Mékong, Fleuve Rouge –, cendres rapatriées d'Extrême-Orient et déposées dans le socle seulement en 1987, il est donc là en personne, *en poudre*, sous des femmes lascives et des crocodiles en bronze, en plein carrefour. Luz m'a demandé ce qu'était le couvent de la Visitation (visitation?); qui était exactement le maréchal Ney (statue de Rude en 1853, prince de la Moskova, duc d'Elchingen, retraite de Russie, sabre levé, trois blessures à

Interthur le 21 mai 1799, fusillé *ici* le 7 décembre 1815 à neuf heures du matin, commandant lui-même le peloton d'exécution : « soldats, droit au cœur! »). C'est fou le nombre de morts qui demandent à parler à Luz, ils sont bien négligés d'habitude, les pauvres, dans les interstices de l'espace-temps... Ma jeune Américaine est médium... Elle tombe en arrêt devant la plaque du 34 avenue de l'Observatoire : « Jean Cavaillès, professeur à la Sorbonne, héros de la Résistance, a été arrêté ici avant d'être fusillé par les Allemands au début de 1944. » Si je connais Cavaillès? Un peu... Pas vraiment... Comment? Un penseur de tout premier plan! Un des rares Français à se retrouver dans les problèmes de l'infini mathématique, traducteur dans ma langue de la correspondance Cantor-Dedekind! Je n'ai pas lu sa biographie par sa sœur : *J. C. philosophe et combattant*? Il faut qu'elle me la prête, elle est sûre que ça m'intéressera... Il parle beaucoup du jardin du Luxembourg dans ses lettres, il venait y lire Spinoza... On regarde les perspectives : le Sacré-Cœur, là-bas; le Sénat enfoncé dans le mur des marronniers noirs, exubérants de vert en été... Je me dis que Paris est bourré de surprises, que j'y dormais plutôt, ces temps-ci... Encore quelques baisers... Elle revient quand? Début juin? Pour trois mois? On fait un pacte Physique-Plastique? Roman-Mathématiques? Astronomie-Musique? Pour la fin du siècle à travers les siècles? Mais elle? Elle veut vraiment connaître le micro-film, le chiffre ultra-confidentiel de Watteau?

Dans mon carnet, à la date du lendemain, je trouve : « A suivre : Louvre, fine petite blonde rieuse ronde yeux bleus, 23 ans, italo-suédoise américaine, rapide. Scientifique, peau mangeable. Fille unique, mère biologiste, père cardiologue, vit en Californie. Promenade Le Verrier, Neptune (exploré en ce moment même par *Voyager II*). Trouvée devant les Watteau. Prénom espagnol (Luz). Revient pour l'été. »

La première chose à faire dans un cas comme celui-là : renforcer au maximum le dispositif de sécurité, la désinformation ambiante. Plus on est sur une affaire nouvelle et sérieuse, plus il faut se montrer détendu, vide, sur-occupé, rongé de superficialité, rivé à des habitudes facilement observables. Ajoutez-y les clandestinités plus ou moins brûlées, celle que la police spontanée continue à vous attribuer par routine. Voilà la guerre privée, la seule qui compte, la plus délicate, l'art. Guerre de jour et de nuit, lieux et instants, les moindres détails sont importants pour désorienter les radars, le poison magma des figurants sociaux. Il est d'ailleurs nécessaire de garder de bons contacts-flics, trois hommes, quatre femmes minimum, bien écouter l'envers de ce qu'ils vous disent. *Le champ magnétique est le même partout.* Il faudra que j'écrive un jour mes instructions secrètes, mes *Monita secreta*, mon catéchisme de l'agent W. en action, mes Protocoles du Sage des Sons (tout à l'oreille), la règle de mon Ordre à désordre... Article 1 : Celui qui n'a pas commencé dès le berceau; celui dont le tympan n'a pas été, dès le début, offusqué, offensé, transpercé, persécuté à hurler par le bruit en soi de la religieuse connerie humaine, est perdu. Article 2 : Silence profond, tout de suite, sans cesse, pour résister au mensonge, mais silence *qui ne doit pas se voir* et comporte, notamment, le fait de savoir danser ou parler à côté. Article 3 : Spinoza : « L'homme libre qui vit parmi les ignorants s'applique autant qu'il peut à éviter leurs bienfaits. » Article 4 : Avoir chaque jour devant les yeux des images de foules en délire (La Mecque, Bénarès, Lourdes, Berlin, etc.), de stades ou de parades militaires, bref la forme prise en masse de la collectivité. Article 5 : Ne prendre en considération que les calculs froids d'un banquier en pleine activité (l'écouter au moins une fois par mois). Article 6 : Dans chaque apparition mâle ou femelle, détecter la mère et, derrière, la mère de la mère, s'en tenir à ce constat (l'écarter, pourtant, dans les moments agréables). Article 7 : Se rappeler que *La Chartreuse de Parme* ne sera jamais lue, quelle que soit l'époque, par 99,9 % des habitants de la planète (et d'ailleurs mal lue par les 3/4 de ceux qui restent), et que cela n'a aucune importance. Article 8 : Cesser de s'étonner que le sexe soit l'objet d'un tel malentendu et d'une maladresse si automatique qu'elle implique la haine ou l'adoration universelle (c'est la même chose). Article 9 : Ne pas oublier qu'un milliard d'individus vivent avec moins d'un dollar par jour. Article 10 : C'est à ton *corps* qu'on en a, seulement à lui, arrête d'imaginer qu'il s'agit de toi, ton corps a rarement raison d'être là – vérifie quand, avec qui, comment –, sache que pour tout le monde, sans exception, tu feras un très bon cadavre. Article 11 : Tous les articles précédents sont inutiles, la volonté suffit. Bon néant vécu, en route!

C'est elle qui a téléphoné trois semaines après, juste avant mon départ pour New York. Rendez-vous là-bas? Oui, en passant.

Et maintenant elle dort au bout du couloir. Dîner dans deux heures.

Geena :

– Pas seulement les Impressionnistes, Picasso ou Van Gogh, Gauguin aussi va monter. Quand tu verras que *La Tahitienne en paréo rouge* est passée à l'ombre entre New York et Londres, tu sauras que l'ordinateur vient d'avoir un frisson.

– Combien?

– Un million de dollars pour l'instant. Ridicule. Elle peut en faire sûrement le double. Les îles Marquises! Atuana! Sainte simplicité du climat!

Deux mois après : « *La Tahitienne en paréo rouge*, une aquarelle de Gauguin évaluée à plus d'un million de dollars, a été dérobée dans un hangar de l'aéroport londonien de Heathrow au mois de juin dernier. Son propriétaire, la galerie américaine Beadelstone, n'a déclaré le vol que dimanche 23 juillet. Cette *Tahitienne* faisait partie d'un lot de quatre tableaux arrivés à Londres le 21 juin dans un avion en provenance de New York. »

Curieux hangar... Drôles de caisses... A supposer que le tableau soit jamais parti... Quels sont les trois autres? Pourquoi ou comment les négociations ont-elles échoué? A moins qu'elles n'aient réussi? L'information est-elle destinée à faire monter ou baisser les prix?

Le Hollandais de France, le Français des Marquises, quel couple!... Transportez-vous dans les îles en 1903, treize ans après la mort de Van Gogh, quand Gauguin note qu'il n'aime que les femmes « grasses et vicieuses », lui qui, pour avoir la paix, donnait aussi ce conseil : « Clouez visiblement une indécence sur votre porte. » Gauguin : « Je me souviens de Manet, encore un que personne ne gênait »... A Paris : « A propos du machin que c'est la mode aujourd'hui d'envoyer les jeunes filles pures étudier la peinture dans les ateliers en même temps que les hommes, il est à remarquer que toutes les vierges dessinant le modèle mâle tout à fait nu, font avec beaucoup de soin le machin plus ressemblant que la figure. Sorties de l'atelier, ces jeunes vierges, étrangères pour la plupart, toujours respectables, l'œil pudique légèrement baissé, le regard entre les cils, vont se soulager à Lesbos. » J'ai montré ce passage à Luz, bien sûr, pour l'amuser, mais aussi ces deux petits croquis : « Sur la véranda, douce sieste, tout repose. Mes yeux voient sans comprendre l'espace devant moi, et j'ai la sensation du sans fin dont je suis le commencement. »

Mes yeux voient sans comprendre... La fin dont je suis le commencement...

Et, à propos de *L'Après-midi d'un faune*, de Mallarmé : « Ces nymphes, je les veux perpétuer... Et il les a perpétuées, cet adorable Mallarmé, gaies, vigilantes d'amour, de chair et de vie, près du lierre qui enlace, à Ville-d'Avray, les grands chênes de Corot, aux teintes dorées d'odeur animale pénétrante, saveurs tropicales ici comme ailleurs, de tous les temps jusqu'à l'éternité »...

– Mozart, j'achète ! Au coffre ! Bouclez-moi ces Tahitiennes, ces chênes, ces nymphes ! Et d'abord où sont les toiles de ce Mallarmé ? Quoi ? Un poète ? Vous avez ses manuscrits ? Non ? En chasse ! Qu'est-ce que vous dites ? Un coup de dés n'abolira jamais le hasard ? A l'altitude peut-être ? Vous êtes sûre que ce charabia a de la valeur ? Garanti par notre agent de Paris ? Le nouveau ? Comment s'appelle-t-il, déjà ?

Ah oui, mon nom de guerre... Mon pseudo de fax... Eh bien, Froissart. Comme le chroniqueur médiéval, en changeant simplement Jean et Pierre. Tiens, il est de Valenciennes, lui aussi, comme Watteau et Carpeaux... « Donc Mozart, quoi de neuf ? – Froissart nous recommande ce manuscrit d'un poète français du dix-neuvième siècle, monsieur. Un pur chef-d'œuvre, une rareté. Non, non, rien à craindre, il y en a très peu, c'est une pièce d'un intérêt historique considérable, d'ailleurs analysée par Jean-Paul Sartre. Montée sûre et discrète, constante, pas d'accident, placement de fond. – Eh bien, achetez ! – J'envoie en Suisse, monsieur ? – Bien sûr ! – Vous voulez aussi le Gauguin ? – Public ou circuit B? – Circuit B, monsieur, à moins que vous préfériez attendre. – Nous avons déjà un Gauguin? – Deux, monsieur. – Prenez-le. Vous n'avez rien d'autre? – École de Sienne, quinzième siècle. – Où était-il? – Faculté de médecine de Paris. – Ah, c'est drôle. Soyez présente. Vous dites que vous êtes sûre de ce Froissart? – Comme de moi-même, monsieur, cultivé, discret, compétent. – Niveau W? – Je pense. – Vous n'oubliez pas les deux Vinci et le Guardi? Quelle valeur? – Énorme. Le Guardi est unique. – Encore Venise? – Qui s'en plaindrait, monsieur? – Lieu de vente? – Sotheby's, Monaco. – L'ensemble voyage avant? – Circuit classique : Londres, Tokyo, Los Angeles, New York, Paris. – Paris? – Pour la forme, monsieur. – Votre avis? – Tout, monsieur. – Même le Guardi? Il y a tant de faux! – Raison de plus pour en posséder un vrai, monsieur. N'oubliez pas que Venise s'effondre. – Les touristes, les marées, les algues? – Les jeunes clochards, la pollution chimique, les projets de rénovation. – J'ai vu un barbu, à la télévision, après un concert des Pink Floyd, pisser contre le portail de Saint-Marc : amusant, non? – Tordant, monsieur, mais peut-être *trop*. – N'organisons-nous pas le mal et le bien, la destruction et la construction, les perversions et leur guérison? A propos, que deviennent nos psychanalystes? – Ils réclament encore des fonds pour leurs congrès mondiaux, monsieur. – Donnez, donnez! Et nos écrivains boursiers? J'espère qu'ils écrivent des choses bien sages? »

Conversation banale, toit du monde...

– Songez à bien préparer les catalogues du circuit public. Sérieux scientifique des conservateurs plus poésie.

– Vous souhaitez quoi pour Gauguin?

– Écologie, exotisme, rêverie, vert. Sauvages à protéger, forêt, poissons et oiseaux fragiles, couche d'ozone. Prenez un écrivain qui brode là-dessus. Photo-télégénique de préférence. Et surtout pas de sexe. « Des femmes grasses et vicieuses »? Vous n'y pensez pas.

– J'ai le garçon qu'il vous faut. Il vient d'écrire un best-seller particulièrement émouvant sur l'Inde. Grand, sain, athlétique, timide.

– Pur? Nostalgique? Primitif? Plaintif? Age d'or? Vingt et unième siècle religieux ou rien?

– Exactement.

– Alors, demandez-lui une contribution. Mais appareil critique béton, hein?

– Béton, monsieur.

Le béton académique, c'est Nicole. Elle centralise les éruditions, les contacts avec les musées, les universités, les magazines spécialisés, les maisons d'édition, les ambassades, les ministères. Autant Geena, grande, châtain, toujours à l'aise, pourrait apparaître dans un des innombrables feuilletons de la réussite américaine, autant Nicole, brune, moyenne, souriante et contrainte, représente la tradition demi-mots européenne, « moi, les affaires? mais c'est *en plus*, le problème n'est pas là ». En réalité, elle est encore plus bancaire que son amie-dollars, mais d'une façon enrobée, neutre, Paris est une autre vitrine, l'art moderne ou postmoderne si vous voulez, mais nous existions déjà... Je comprends que Geena veuille la contrôler mieux de l'intérieur : Nicole, malgré son cynisme désormais commun à toute la profession, ne confondrait *tout de même pas*, en dépit de leur quasi-équivalence sur le marché, un Monet et un Jasper Johns. Geena, oui, et avec une distance énergique, à la fois tolérante et apitoyée. Nicole peut rêver d'Alan Bond, propriétaire australien de mines d'or, qui s'est offert (sans d'ailleurs pouvoir le payer) les *Iris* de Van Gogh, mais pas de Samuel Newhouse, groupe de communication Condé-Nast *(Vogue)*, qui a mis 17 millions de dollars sur le *Faux départ* du peintre américain vivant le plus cher (après De Kooning qui meurt tranquillement, très vieux, de la maladie d'Alzheimer : les peintres doivent être désormais morts ou rangés, Jasper Johns est parfait, absent, presque invisible). Geena, elle, choisirait sans hésiter Newhouse ou un autre, et tient ce James Bond aurifère pour une sorte d'arriéré mental. Guerre des continents... Dix-neuvième et première moitié du vingtième, contre deuxième moitié du vingtième et vingtième et demi... A suivre... Fatiguée de son dernier mari, Nicole ? L'éditorialiste politique anticommuniste en baisse, parallèlement à ses anciens adversaires reconvertis ? Trop ouvertement droite-gauche pour le business gauche-droite (ne jamais se tromper de sens) ? Elle a été l'amie de Meilhan, lui aussi disparu depuis cinq ou six ans... Avalé par le mariage, Meilhan... Les enfants, le bruit, le freinage, la dissuasion quotidienne, l'endettement conjugal... A quoi bon écrire encore dix lignes sauvées de l'énorme et microscopique usure des journées ? Je connais sa femme : elle a appliqué sans faiblir la stratégie imparable : dépenses et nervosité, crises pour rien et factures. Ça vous liquide un type à toute allure, il suffit de lui coincer le compte en banque et l'oreille, de l'obliger à plaquer sans cesse son tympan sur ses relevés, entre deux maladies sur fond de mélancolie et de cris. Je l'ai revu récemment, Meilhan, un homme ayant peur de tout, désormais, sommeil détraqué, alcool, terrorisé, dégoûté, flasque, lui, l'auteur d'un succès pour une fois de qualité, *Mascarade*... Oui, mais les impôts... La disparition, de plus en plus rapide, des listes top-livres, les vingt meilleures ventes romans, récits, nouvelles, essais, études, documents, guides de voyage, bandes dessinées, policiers, trucs pratiques... Ah oui, le dernier

Meilhan n'a pas tenu, trop compliqué, pas assez public... Que voulez-vous faire contre Marion Zimmer-Bradley? « Qui est-ce? *La Trahison des dieux, Les Dames du lac.* – Première nouvelle. – Ignorant! L'épopée de *L'Iliade* ressuscitée! »... Gentil, Meilhan, essayant d'être méchant par nécessité dans la jungle... Réfléchi, se forçant à plaisanter, déjà résigné... Marion Zimmer-Bradley... Je viens de voir son nom dans une publicité. Au verso, annonce en gros caractères : « Nous aimons nos clients et nous avons encore beaucoup d'amour à donner. Media-System, première agence de communication pour les ressources humaines. » Mais oui, les ressources humaines sont illimitées, comme l'amour, comme la communication elle-même. Meilhan a renoncé à communiquer, comme tant d'autres. Il relit Heidegger : « L'eksistence est la position extatique dans la vérité de l'Être. » Ou bien : « Seul l'Être accorde à l'indemne son lever dans la sérénité et au courroux sa course fiévreuse vers la ruine. » Paradis, enfer... Voix de sa femme : « A table! »

(Il vient peut-être de lire la même publicité, Meilhan, et donc celle d'à côté :

SEXE : COMMENT ÇA VA?

Chaque jour un psychanalyste répond à vos questions au téléphone :

Jeudi. La polygamie de l'homme.

Vendredi. La découverte de la féminité.

Samedi. Les hommes qui aiment les hommes et les femmes.

Lundi. L'homme et sa peur de l'installation.

Mardi. La nécessité d'un père.

Mercredi. Le rôle de l'utérus dans la jouissance.

Jeudi. La séduction érotique.

Vendredi. L'éjaculation précoce.

Samedi. Rêve et homosexualité.
Lundi. Féminité et érection.
Mardi. Le couple et la perte du désir.
Mercredi. L'inhibition sexuelle.
Jeudi. Les hommes et les préliminaires.
Vendredi. La sexualité du petit garçon.
Samedi. L'inconscient et le plaisir.
Lundi. De l'adolescent à l'adulte.
Mardi. Le rôle de la sexualité dans la créativité.)

Comme Laugier, « dont presque plus personne ne connaît le nom », dirait Richard avec le mépris de ce qui existe pour ce qui n'existe pas, ce qui n'existe pas étant ce dont on n'a pas parlé depuis trois semaines. Je l'entends et le vois lui aussi, Laugier, voix plutôt aiguë, nette; plutôt pâle; il n'a jamais été enregistré ni filmé, c'est son chef-d'œuvre, un vrai trou noir littéral... Trois livres brefs, une ou deux photos, tassé, il boit de la bière, il reste enfermé chez lui, il joue aux échecs. Il a choisi la clandestinité totale, l'illégalité sans phrase, « plusieurs illégalités à la fois », ce sont ses mots. Mystique d'un genre nouveau, hyper-rationnel, pile de négativité, il a suicidé la société en lui, pas de martyre, mais seulement une présence, démontrant, par son seul refus, l'irréalité voulue, orchestrée, la falsification permanente. « Ah, Laugier »... Pour quelques-uns, ce nom résonne parfois comme une sorte de jugement dernier redouté, honte, rappel des dates et des dossiers de la corruption générale. Un de ses meilleurs amis a été assassiné, lui non, c'est étrange. Il ne s'est pas tué, ce qui est encore plus étonnant. Il n'est pas non plus devenu fou, malgré le désir explicite et constant de ses contemporains. « Laugier? Paranoïaque »... Cent fois ce cliché, de la part des marionnettes hébétées, repues... Si encore il avait été terroriste ou sentimental anarchiste : mais non, style classique, froideur du raisonnement, ironie, un peu comme Meilhan, tous les deux meubles de prix à vendre. Ils ne se sont pas vendus. Nicole a rompu avec Meilhan (dont il ne faut surtout pas lui parler : voile immédiat devant les yeux) quand elle a compris sa décision : plutôt végéter qu'abandonner son langage, plutôt se taire que de débiter les bonnes et nulles pensées exigées. « Eh bien, ce sont des cons, dirait Richard, il n'y a qu'une vie. » Il la vit à deux cents à l'heure, lui, sa vie, son unique vie d'image à travers les images, nerfs sur écran, came à pub... Il *existe.* Il me soupçonne de ne pas croire à son existence? Ni à la mienne telle qu'il la conçoit? Oui, méfiance. Je reste ambigu. Il a fait la moue, quand je lui ai dit, en passant, qu'il faudrait réinventer l'acte gratuit. L'acte gratuit? Pour quoi faire? J'ai insisté : « Après tout, voilà des titres qui n'ont pas vieilli, *L'Immoraliste, Les Caves du Vatican...* Acte gratuit, je sens que ça peut revenir. – Hum... – Le crime sans raison ni passion, désintéressé, au hasard, revendiqué comme tel, pas la moindre justification. Apathique. Signé : *Gide.* – Gide est très daté. – On pourrait le redynamiser. – Tu crois? » J'aime bien embarrasser Richard, son visage se tend, trente secondes de calcul, qui sait si cet acte gratuit n'est pas un produit vendable, ce con a parfois de bonnes idées, après tout. Non... Finalement... A qui reproposer ce vieux truc artisanal douteux? « Ça fait réactionnaire, potentiellement fasciste. – Et alors? – Non, il faut une motivation, rien ne peut être gratuit... Le satanisme si tu veux, la soif du mal, avec déluge d'explications psychiatriques, la TV américaine en est pleine. – Mais non, rationalisme pur : je trouve ces deux mots mis ensemble explosifs : *acte, gratuit.* – Bon, peut-être. » Richard pense déjà à autre chose... Je ne peux quand même pas lui réciter l'article 13 des *Privilèges* : « Le privilégié ne pourra pas dérober; s'il l'essayait, ses organes lui refuseraient l'action. Il pourra tuer dix êtres humains par an, mais aucun être auquel il aurait parlé. Pour la première année, il pourra tuer un être, pourvu qu'il ne lui ait pas adressé la parole en plus de deux occasions différentes. » L'assassinat gratuit oui (c'est un des beaux-arts), le vol, non. L'exception pour la première année est savoureuse. L'interdiction d'avoir parlé avec la victime est d'une grande élégance morale. Dix meurtres par an, en 1840 : nous irons bien, en tenant compte de l'augmentation de la population et des massacres grandioses auxquels nous avons assisté depuis, jusqu'à cent vers la fin de notre siècle? Ce n'est pas trop demander? Je suis assez modéré?

Le nom de Richard, dans le réseau, est Andy, comme son héros : Warhol.

Je suis encore revenu trois ou quatre fois dans la chambre de Luz pour la voir dormir... J'observe sa respiration, j'approche ma bouche de la sienne pour mieux sentir son souffle. A ce moment, toute la ville, les ruelles, les canaux entrelacés, les jardins fermés, les balcons, les ponts, le marbre usé des sols semblent se concentrer et s'évaporer contre ses paupières. Doucement, j'ouvre les volets pour que le soir entre dans la pièce, l'odeur des lauriers et de l'eau reposée à travers les feuilles. Elle ouvre les yeux, ne me reconnaît pas pendant trois secondes, et puis sourit. Pendant qu'elle se prépare, je vais m'asseoir dehors, derrière les fusains, sur mon sarcophage. Je n'ai pas été, j'ai été, je suis, je ne suis pas, je serai, je ne serai pas, je suis.

Geena :

– Tu as remarqué que Warhol a les mêmes initiales que Watteau?

– A.W.? Raccourci de trois siècles. Difficile de tenir la boucle.

– Rosenblum dit que c'est le Manet de notre temps. Exagéré?

– Mais non. L'idée des portraits en série est très forte. Il faut les voir en perspective à travers les têtes de mort, les *skulls*. Marilyn Monroe, Elvis Presley, Marlon Brando, Liz Taylor, Mao, des tueurs recherchés, n'importe qui, lui-même. Accidents, chaises électriques, crânes emportés sans profondeur dans la fosse commune aux produits. Regarde les *Camouflages*. Théologie du dollar.

– Théologie?

– Le spectacle et la grâce. Messe à Saint-Patrick après son étrange mort...

– Appareil mal réglé à l'hôpital. Infirmière négligente.

– Oui mais, vingt ans avant, tout un revolver féminin en plein thorax.

– Une folle.

– Pas si folle que ça. Elle s'est dévouée. Imagine une Bovary qui, pour sauver l'idéal féminin, serait devenue militante et aurait poignardé Manet à cause de l'Olympia.

(Sauver la Femme ou Dieu, même combat... Je pense au coup de couteau donné par un fanatique à Spinoza, grâce à quoi nous avons *L'Éthique*... Il a gardé toute sa vie son manteau troué dans sa chambre. Encore un tableau trou noir : *Le Manteau de Spinoza*. « Nous formulons l'excommunication, l'expulsion, l'anathème et la malédiction contre Baruch d'Espinoza... Que Dieu ne lui pardonne jamais! » Grands dieux!... Et Voltaire : « On peut croire que sans le coup de couteau et sans les bougies noires éteintes dans le sang, Spinoza n'aurait jamais écrit contre Moïse et contre Dieu. La persécution irrite; elle enhardit quiconque se sent du génie »...)

– Mais il était homosexuel?

– Warhol? Qu'est-ce que ça veut dire? Qu'est-ce que ça veut dire dans son cas? Un de ses mots les plus décapants aura été : « sex is so nothing ». Spécialiste du rien (sexe, argent, apparences). Encore faut-il le connaître et le provoquer, ce rien, enregistrer à bout portant ses contorsions, la croyance maniaque dont il est l'objet. J'ai passé une soirée avec lui. Il n'a pas dit un mot, smoking, observant les figurants, moi je suis une machine, rien qu'une machine et vous n'êtes, pour la machine, que des images transitoires avec des préjugés d'images, de pauvres ruminations sur votre pseudo-intériorité d'images en cours de néant. Modeste, portant son magnétophone sur lui (chacun est prévenu : inanité de chaque parole, mais tout le monde est *obligé* de parler, n'est-ce pas?). Au fond, il s'était transformé sur le modèle de ces grandes oreilles désormais en fonctionnement un peu partout sur la planète pour le compte des services secrets : radars, sonars actifs et passifs, hydrophones, sous-marins, satellites. C'est comme ça que je le peindrais. Au demeurant, parfait gentleman.

– Tu le jouerais à la hausse?

– Bien sûr. Même s'il faut s'attendre à une campagne puritaine contre lui.

Il est à Venise en septembre 1977, Warhol, lors d'un tremblement de terre (je m'en souviens, le lendemain les guêpes sortaient de partout). Il note dans son journal, le 17 : « J'ai pris une vedette rapide pour l'aéroport, on a volé au-dessus des vagues. » Ce bon catholique d'origine tchèque, expert en vices, allait à la messe tous les dimanches. Après un voyage : « Je suis allé remercier d'être revenu vivant. » Dimanche 13 février 1983 : « Il y avait de la neige dehors, c'était ravissant, pas trop froid, suis allé à l'église. » Mais aussi : « Je dois être trop bizarre pour la télé, parce que c'est toujours pareil, ils ne savent pas quoi faire de moi. »

Dernières toiles : Vierges à l'enfant d'après Raphaël, Cène d'après Vinci... « Tu aimes ça? – Beaucoup. – Richard dit que c'est sans intérêt. – Il a tort. – Tu mettrais l'accent sur quoi, tout de suite? – Les tableaux de la fin, les autoportraits, les têtes de mort, les signes dollars. – L'Amérique aurait eu un seul dandy digne de la grande Europe? – En somme. »

Autre notation : « Je lui ai dit que depuis qu'on avait tenté de m'assassiner, je n'étais plus aussi créatif parce que j'avais cessé de fréquenter des gens bizarres. » Et aussi : « Ah, j'oubliais : à table, Bianca a retiré son slip, me l'a passé, et j'ai fait semblant de le renifler avant de le fourrer dans la pochette de mon costume. Je l'ai encore. »

Luz, buvant sa coupe de champagne sur la terrasse :

– Tu disais : sauver la Femme, sauver Dieu?

– J'aurais pu prendre un autre exemple :

« Les millénaires des périodes géologiques enregistrées dans les stratifications du globe; les myriades d'existences organiques, entomologiques, microscopiques cachées dans les cavités de la terre, sous les pierres qu'on déplace, dans les alvéoles et les monticules, les microbes, germes, bactéries, bacilles, spermatozoaires; les incalculables trillions de billions de millions d'imperceptibles molécules maintenues par la cohésion de l'affinité moléculaire dans une seule tête d'épingle; le sérum humain, univers constellé de corps blancs et rouges, eux-mêmes univers pleins d'espaces constellés d'autres corps, chacun étant, en continuité, un univers composé de corps divisibles dont chacun est encore divisible par la division de corps composants redivisibles, dividendes et diviseurs diminuant toujours sans division réelle, si bien que si la progression pouvait se continuer assez loin, jamais on ne se trouverait devant rien. »

– Allah, au secours! Quel est cet écrivain satanique?

– Joyce. Dommage qu'il ne soit plus là pour être condamné à mort. Il est vrai que son livre ne serait pas publié, ou bien tomberait majestueusement à plat.

– Tu veux dire que la science est supportable, mais plus les mots ni les perceptions du langage courant qui traduiraient ce qu'elle sait?

– Voilà.

C'est le père de Luz qui a voulu qu'elle apprenne le français et qu'elle vienne en France. Sa mère, elle, aurait voulu être musicienne, elle a donc entendu tout le répertoire classique pendant son enfance. Musique, mathématiques... Elle a souligné ce passage dans la correspondance de Cavaillès (9 juin 1931) : « Le quintette en *la* majeur de Mozart : ces glissements comme ces dualités de lignes, qui arrondissent le rebord du son et le compliquent et, dans le larghetto, des profondeurs d'attente où on a comme un raccourci de durée cosmique, ou plutôt le devenir d'un autre monde avec des appels obscurs entre les moments du temps et supérieur comme un intemporel immobile. » Pas mal? Pas mal. Je n'aurais jamais lu ça sans elle. Pas plus que (13 mars 1934) : « J'ai passé la semaine dernière, au jardin du Luxembourg, une matinée délicieuse à préparer une leçon, en essayant d'écouter les oiseaux et les bourgeons des arbres – ce temps est favorable et j'ai repris Spinoza avec une vraie joie malgré toutes les choses étroites qui arrêtent. » La sœur de Cavaillès, elle, note avec une naïveté sympathique : « J'ai toujours été frappée de voir comme son état d'âme et même son activité intellectuelle étaient influencés par l'éclat du soleil. » De son côté, un de ses amis à l'École Normale se souvient : « De mes conversations avec lui, pendant cette année-là (1931), j'ai gardé surtout le souvenir de l'attrait toujours plus grand qu'exerçait sur lui la liturgie catholique. » Cavaillès était protestant, la mère de Luz aussi, elle n'a pas souligné ce passage. En revanche, un trait pour celui-ci (écrit par la sœur) : « Comment avait-il rencontré la femme norvégienne qui tenait alors (1936) une grande place dans sa vie, je ne sais. Mais le portrait d'elle que j'ai souvent contemplé sur son bureau était une preuve de l'attachement qu'il lui portait. La femme du portrait s'adressait à Jean de façon insistante et révélait sans le vouloir le lien qui existait entre eux. Elle était d'une grande beauté. » Un peu plus loin : « La jeune Anglaise, la Norvégienne, mais aussi toutes celles qui ne résistaient pas à son charme »... Cette sœur est un modèle d'honnêteté, mais nous n'en saurons pas davantage sur ce sujet pourtant capital, éclairant aussi bien l'amour du soleil, le goût de Mozart et de Spinoza, l'invention en logique mathématique, l'attirance pour la liturgie catholique, les capacités d'organisation militaire clandestine, la force susceptible d'aller jusqu'au bout en gardant ses secrets, en devenant l'inconnu n° 5 du charnier d'Arras, identifié grâce à son petit portefeuille vert devenu noir au contact de la terre. « Condamné à mort par le tribunal militaire d'Arras au début de l'année 1944 et immédiatement exécuté. » Cavaillès, dans la Résistance, s'est successivement appelé Marty, Hervé, Chennevières, Carrière, Charpentier, Daniel... A Londres, en 1943, l'Intelligence Service l'avait baptisé Crillon. « A côté de sa tombe, écrit sa sœur venue identifier ses débris physiques, dans un coin abandonné du cimetière d'Arras, il y avait un rosier blanc, placé là par le hasard, un rosier blanc et vigoureux. »

Je regarde une photographie de lui : visage ovale, grand front, joues plutôt rondes, bouche large et charnue, yeux clairs, cheveux coiffés en arrière, sourcils épais, air de gaieté, translucidité. Le regard est direct, insistant. On dirait qu'il est prêt à se précipiter sur l'objectif. Le livre de sa sœur sur lui (réédité avec un autre titre, *J.C., Un philosophe dans la guerre*, au lieu de *Un philosophe combattant*, correction significative) voisine sur ma table avec les *Souvenirs d'égotisme*, couverture illustrée par le portrait de Dedreux-Doroy du musée Stendhal à Grenoble. Aucune ressemblance, mais une parenté saisissante. La littérature et la théorie des ensembles ont beaucoup de choses à se dire. « Théorie solitaire, écrit Cavaillès, encore inachevée, incertaine aux yeux de beaucoup, bras tendu vers le ciel... »

« C'est tellement amusant de faire sauter un viaduc, dit-il un jour, d'allumer soi-même le cordeau Bickford »... Sa sœur commente : « En un sens, il n'était pas " sage ", il aimait la vie, le bon vin, les voyages, à l'occasion le luxe et l'élégance, il m'accompagnait souvent pour le choix d'une robe. » J'aime mettre en correspondance ce souvenir et la phrase suivante : « Par un renversement révolutionnaire, c'est le nombre qui est chassé de la rationalité parfaite, l'infini qui y entre. » Puissance du continu, veillez sur nous. Vous dites qu'il y a autant de points dans le côté d'un carré que dans toute la surface de ce carré? Oui. Élémentaire. N'empêche que le jour où Cantor arrive à cette conclusion, il écrit à Dedekind : « Je le vois, mais je ne le crois pas. » Heureux ceux qui auront vu et n'auront pas cru! Loués soient Galilée, Newton, Cantor, Einstein, Cézanne, Picasso, Joyce! Silence, profanes puissants immergés dans l'ombre : achetez, rachetez vos péchés : « Ce n'est que par un préjugé réaliste que nous nous occupons d'objets, alors que seul importe, dans la succession de nos affirmations, ce qui régit cette succession, savoir le travail intellectuel effectif. »

Cavaillès, alias Crillon ou Daniel, habitait donc au dernier étage du 34 avenue de l'Observatoire, dans un appartement qui dominait tout Paris. Il avait quarante et un ans lors de son exécution, et son œuvre commençait à peine. On oublie souvent que Spinoza, lui (1632-1677), est mort à quarante-cinq ans.

Prison du nombre...

– Quel rapport avec Warhol?

– Principe d'une fête : on invite qui on veut. La fête est sans pourquoi. Ce qui est très connu est mal connu, ce qui n'est pas connu devrait l'être. Parle-moi encore des ensembles, de l'infini, des trous noirs.

– D'abord, en physique, le zéro et l'infini ne correspondent à aucun objet mesurable. Tu as ensuite deux horizons qui marquent leur inaccessibilité : l'horizon cosmologique de la relativité dû à l'impossibilité de transmettre des signaux plus vite que la lumière...

– Éteins la lumière.

– ... et l'horizon quantique dû au principe d'incertitude qui interdit le zéro comme résultat d'une mesure physique. Bon, maintenant, trou noir : corps condensé dont le champ gravitationnel est si intense qu'il empêche toute matière et tout rayonnement de s'échapper.

Je l'écoute, je pense vite à autre chose, des nappes de souvenirs me viennent, je la fais parler pour mieux la regarder dans le noir. Il fait chaud. Elle était assise en face de moi dans la bibliothèque, elle vient de se lever pour éteindre le lustre, il est onze heures, on vient de rentrer de notre promenade du soir, la lune entre de biais par l'une des portes-fenêtres, un dernier verre avant de dormir, une dernière petite conférence. Tableau : « écrivain aux activités problématiques écoutant jeune femme physicienne, sous la lune, l'été, à Venise ». Ou encore : « la leçon de cosmologie ». La définition d'une *singularité*? Point dans l'espace-temps où la courbure de l'espace-temps devient infinie. Bien sûr. L'espace-temps? Espace à quatre dimensions dont les points sont des événements. Évident. Nous sommes point par point un événement singulier? Rien ne s'oppose, n'est-ce pas, à ce que je ressente les choses ainsi *en ce moment même*? En caressant ses cheveux, ses épaules, ses bras frais? En lui fermant de temps en temps les lèvres (petite bouche), en suçant sa langue mobile qui vient de parler? Au fait, un trou noir est-il un corps condensé ou une région de l'espace-temps? Les deux? Forcément. Y a-t-il eu de grandes physiciennes récentes? Mais oui, Jocelyn Bell, par exemple, de Cambridge, l'affaire des pulsars, en 1967. Et Chien-Shiung Wu, en 1956, encore une Américaine, qui a montré que l'interaction faible n'obéit pas à la symétrie P. (qui veut que les lois soient les mêmes pour toute situation et son image dans le miroir). *Oh, ceci m'intéresse.* Et bien d'autres, de plus en plus. Ça m'étonne? Pas le moins du monde. Je ne partage pas le préjugé courant consistant à croire que les femmes sont incapables d'innover en mathématiques, aux échecs, en musique, bref dans les dimensions abstraites? Loin de moi une telle idée. Les femmes sous le joug biologique? Hélas, le plus souvent, mais en avant dans l'autre sens, ce sera inouï, la preuve. Je suis très convaincu, je l'aime. Je vais composer une chanson sur ma petite savante, ma lumière de jour et de nuit, mes yeux nouveaux sous le ciel, ma courbure blonde, sur l'air de qu'il fait bon dormir, tourterelle, caille, perdrix, là, tout près, à des secondes d'années-ténèbres. Elle n'a jamais entendu parler de cette histoire d'assassinat de Warhol? Non, elle a trois ans à l'époque. Ah si, quand même... Mais c'est très loin... Et le *Scum Manifesto*, le programme pour la couper aux hommes? Dans la droite ligne des grandes cinglées protestantes du dix-neuvième siècle? Mary Baker Eddy? L'homme, bœuf stupide, grand singe, et finalement *pig*? Oui, tout cela a peut-être été exagéré par nos arrière-grand-mères, mais il faut les comprendre... Prose de la tireuse de Warhol : « Les seuls hommes qu'on n'enverra pas dans des camps d'extermination seront les pédales qui, par leur exemple magnifique, encouragent les autres hommes à se démasculiniser et à se rendre ainsi relativement inoffensifs. » Mais Warhol était-il le symbole de la masculinité? Lui si gentil, si réservé, d'une douceur maladive, derrière son polaroïd, son Instamatic? Lui, technicien du sexe par téléphone? Lui qui a dit : « Je crois que les relations amoureuses nous engagent trop, et puis ça ne vaut vraiment pas la peine... On fait ça comme on regarde un film à la télévision »? Curieux. Ou bien est-ce précisément cette distance qui a été ressentie comme tuante par la volonté de tuer, endémique, vivante? Est-ce parce qu'il était plus mort que la plupart qu'il fallait l'assassiner? Voilà, je vais peindre Andy Warhol en Watteau : il s'avance, impassible, dans le paysage qui ne fait qu'un avec lui, danseur immobile et pâle. On est dans une party à New York, il en ponctue l'irréalité forcenée, comique. Embarquement pour l'enfer... Il y a beaucoup d'argent en circulation, il le ruine en même temps que les croûtes humaines qui y sont accrochées : « les gens font des transferts », « les gens sont tellement fantastiques qu'on ne peut pas faire une mauvaise photo ».

Il n'y a que de mauvaises photos.

Il n'y a que de bonnes photos.

La question du bon et du mauvais ne se pose pas en photo.

Et en peinture? Ah, la peinture... L'œuvre d'un ami de Warhol, Basquiat, monte un jour à deux cent mille dollars. Ça le déprime. Il veut faire une expérience : il monte chez des gens, sonne, et leur propose une de ses toiles pour deux dollars. Ils ne la regardent même pas, ils refusent. Le lendemain, ils apprennent qu'ils en ont perdu deux cent mille. Puis Basquiat meurt jeune, et devient encore plus cher. Deux dollars! Le prix d'une photo!

Enregistrez les voix. Prenez des photos. Passez la voix et l'image ensemble sans rapports préconçus. Coupez. Reprenez. « Pas d'histoire, pas d'intrigue, des *incidents.* » Chez Warhol, à la *Factory*, dans les grandes années, tout nouvel arrivant était automatiquement filmé. Vous qui entrez, sachez que vous n'êtes qu'un reflet. « Je n'ai jamais voulu être peintre, je voulais être danseur à claquettes. » Défi à Hollywood, à la réalité tout entière devenue feuilleton mondial, au roman tel qu'il est exigé par le Support omniprésent : d'un point à un autre, avec mort tapie quelque part. « Faites-moi un vrai roman, le public l'ordonne » (et le public c'est nous, policiers des chaînes comme des volumes prévus).

J'ai déjà cinq cents photos de Luz, dans la piscine, allongée dans le jardin ou sur la terrasse, en bateau, mangeant des glaces sur les quais, sur son lit, assise devant son secrétaire, devant les fenêtres (profil droit, nuque, profil gauche), elle a quelque chose d'Edie Sedgwick (overdose en 1971), la vedette féminine de Warhol dans les années soixante, concentration, grâce, minceur arrondie. La technique était : faire le plus possible de prises pour rien, de films pour rien, plans fixes interminables, infime changement au bout d'une ou deux heures, un baiser en gros plan, un homme en train de dormir, l'Empire State Building pendant huit heures, une fellation en direct centrée sur le visage du type qui va jouir, une coupe de cheveux, les travestis, bien entendu – les travestis, voilà l'origine du coup de revolver. Pellicule gaspillée exprès, salopée, brûlée, irregardable, juste pour montrer l'envers de l'immense mise en boîte en cours, images d'images d'images, nouveau monde implacable et nul appelé à remplacer les corps, déconditionnez-vous, chaque instant de votre vie est intéressant, ou aucun, pas de hiérarchie, pas de pathos, fureur du Sentiment, de la Propriété, du But. Voilà le kitsch sado-maso, cœur du spectacle, sa pulsation constante (un trou noir est une machine sado-maso cosmique), cuir, danse du fouet, coke, héro, amphétamines, bruit pour le bruit, somnambulisme intégré. Le témoin de l'époque a beau décrire Warhol au centre de cette excitation auto-annulée comme l'œil frigide du cyclone ou un bouddhiste en méditation, il ne peut pas éviter de noter, sans en tirer plus qu'une conclusion conventionnelle (« éducation répressive », « goût de la décadence »), que tous les acteurs, ou presque, étaient d'origine catholique : Warhol, Linich, Ondine, Malanga, Brigid Polk, Viva, Paul Morrissey, bien d'autres. L'explication est pourtant simple : ils constatent une poussée perverse, ce sont des professionnels de la perversion, ils agissent. Dévoilement, antidote, bain glacé, désintégration montrée. Blasphème pour le nouveau sacré des coulisses, lutte pour récupérer ce levier. Qui va l'emporter ? La normalisation, comme toujours après la peste. Mais on aura eu le temps de voir quelque chose par le trou de la serrure. Quoi ? Rien. Il n'y avait rien. Il ne se passait que ce qui se passait au moment où cela se passait. Les gens sont tellement fantastiques, tout le monde dans l'avenir sera célèbre pendant cinq secondes (un quart d'heure est beaucoup trop long), envoyez les jeux télévisés, l'abrutissement permanent, la manipulation dosée en studio, ce n'est qu'un début, impossible de rater une émission, le rêve.

Et la peinture? *La peinture?* Mais laquelle? La vraie? La fausse? La vraie-fausse? La fausse-vraie-fausse? La vraie-fausse-vraie-fausse? Garantie par qui? Comment? Pour qui?

Le plan de Richard a sa cohérence :

– Mais c'est un *devoir*, comprends-tu, de remettre les œuvres d'art en circulation, *en situation d'excitation intense.* C'est leur nature, après tout. La fièvre financière autour des tableaux? Pourquoi pas? Psychanalyse du Kapital. Tu préférerais le musée d'autrefois, visite mécanique, bousculade, ouverture, fermeture, négation aseptisée, vague coup d'œil, écoliers distraits? Ils passent dans les coffres-forts, les tableaux, pour ne plus être exposés? Oui, radioactifs. Ils *émettent* de l'argent à chaque instant. Toujours plus. Ils dorment mais ils travaillent, à la limite ils ne bougent même plus de l'endroit où leur vente a lieu, ils n'en ont pas le temps puisqu'ils sont rachetés dans les jours ou les mois qui suivent. L'argent se met à tourner autour des iris immobiles, le soleil de la monnaie se déplace par rapport aux tournesols fixes. Nous rendons à l'art sa dignité et sa mémoire, le temps, l'espace, les figurants se définissent par rapport à lui, nus, visages, fleurs, arbres, torsions, couleurs, gestes. Pour la première fois, on se tue froidement pour des toiles. Andy l'a très bien formulé : « L'art comme business vient après l'art. » Cela veut dire que la vie entière n'est plus que business, du début à la fin, émotions, rêves, croyances, sperme, pensée. Fabrique des corps, gavage des cerveaux. L'hypocrite protestation humaniste romantico-pathétique n'y changera rien, au contraire, elle est programmée par le show. « Froissart »? Où as-tu pris ça?

– Chroniqueur vers le milieu du quatorzième siècle.

– L'art a toujours été hors la loi, il n'y a que les hors-la-loi pour le faire respecter à sa juste place. Est-il supportable qu'un Titien croupisse chez des dégénérés qui ne le regardent même pas, qu'il y ait encore des Holbein, des Van Dyck dans des héritages? Tous les propriétaires doivent se sentir menacés, payer des assurances mirobolantes, des systèmes de sécurité hyper-sophistiqués, des gardes armés. Ils doivent gagner beaucoup d'argent, encore plus, ou vendre. Batailles indirectes, embuscades à la Bourse... Les grands magasins X. contre l'Import-Export Z., avec pour enjeu *L'Acrobate* et le *Jeune Arlequin* de Picasso. Le baron allemand T. attaquant des publicitaires britanniques. Conflits internes, remplacements de personnel, jalousies mortelles et, au centre du match, un simple rectangle barbouillé un beau matin par un type plus subtil ou fou que les autres... Pour son usage personnel... Pour commémorer dieu sait quel fantasme sexuel assouvi ou non... Après quoi les indignes possesseurs névrosés tremblent. Mon Monet est-il toujours là? Mon Turner? Mon Pontormo n'est-il pas un faux réussi? Mon Kouros grec un vrai-faux raté? Nous, nous sommes les vengeurs des artistes, l'armée du génie humilié à travers les siècles, le commando des écrivains exilés ou bagnards, la brigade du jugement dernier, ici, tout de suite. Vous voulez un Van Gogh? Pour vivre? Eh bien, vous le paierez d'une inquiétude perpétuelle, il viendra vous bourdonner aux oreilles pendant la nuit, vous faire des grimaces à la Artaud, ulcère, impuissance, crise cardiaque. Nous culbutons les tiroirs, les placards, les intimités, les religions. Dieu? Le Christ? La Vierge? Les anges? Eh bien, apprenez enfin que seul le Dieu de Michel-Ange *est*. Idem, le Christ de Rembrandt ou de Tintoret. Idem, la Vierge du Greco. Idem, les anges de Giotto ou de qui vous voulez. C'est nous qui avons tout fait, et avec la bande-son encore : Monteverdi, Bach,

Mozart. Quoi, que dites-vous, un Dieu sans images? Vous plaisantez! Le Dieu sans images, une fois parvenu à une position suffisante, achète des images à tour de bras : *il s'installe.* Les tournesols sont des anges, l'impression au soleil levant une assomption, l'acrobate une crucifixion. Et que ça roule! Les clergés et la banque matés par le chevalet, telle est notre justice. Oui, telle est notre *noble* mission, Froissart, et je te prierai à l'avenir d'en être plus conscient. Peu importe que nos commanditaires ne soient pas de taille à comprendre notre révolution : elle est là, elle avance, rien ne l'arrêtera. Les Indiens réclameront des Impressionnistes quand on aura pillé tous leurs temples et qu'ils auront fait fortune. Ils se disputeront des Renoir, autant en emporte le Gange. Pareil pour les Iraniens, les Russes (qui renégocient déjà leurs Matisse), les Algériens, les Libyens, les Chinois, les Africains (s'il en reste)... *Mao voulait un Warhol*, voilà ce qu'Andy a compris. Une de ses plus belles séries, juste après le premier pas sur la Lune. La fille qui a tiré sur lui a vu clair à travers son délire : elle a déchargé son revolver non pas sur la décadence pourrie, mais sur un monde nouveau, un monde où l'artiste devient enfin ce qu'il est depuis les grottes de Lascaux et depuis toujours : le critère absolu. Tiens, me diras-tu, c'est précisément à ce moment-là qu'il n'y a plus d'artistes? Que des zombies? En effet. *Sauf nous.* La plaisanterie est admirable, Froissart, mais rappelle-toi : « Personne ne peut me faire jouir aussi bien que moi-même. » Cela dit, calmons-nous et voyons les choses. Que murmure le fax? Rien de Londres? Mutisme à Rome? Silence à New York? Calme plat à Hong Kong? Tu as trouvé un manuscrit intéressant? Un château hanté? Une villa des mystères? Une filière ecclésiastique? Des objets du culte? Tu connais mon idée : on remplace en une nuit les sculptures et les tableaux d'une église par des copies parfaites. C'est très faisable, personne ne s'en aperçoit. Le Vatican est très endetté en ce moment, non? On pourrait commencer par un endroit peu fréquenté, tu dois savoir lequel... En tout cas, j'ai le Japonais qu'il faut pour l'opération : il donnerait n'importe quoi pour un plafond original de Tiepolo, et la vie de sa femme et de ses enfants pour les *Stanze* de Raphaël. So?

Luz a bien pris ma proposition d'expérience. Enfin un esprit clair, libre, déterminé, rigoureux; enfin un système nerveux stable et souple. La vie comme œuvre d'art permanente et voulue quand l'art est devenu impossible? Mais la vie elle-même n'est-elle pas désormais impossible? Sans doute. N'empêche. Pourtant.

On a donc débuté par les enregistrements : caméra-vidéo, avec visionnage, le soir, sans commentaires. La mémoire doit devenir celle des moments enregistrés et des autres. *Où est la différence?* En une semaine, le temps rentre dans l'espace et réciproquement, ils tournent. On construit la scène, on l'habite, on l'oublie, on la quitte, on s'en souvient, on y revient. Dans la télévision qui diffuse ensuite nos cassettes, c'est notre vie qui défile comme un journal, fiction, reportage, documentaire, et les inconnus, là, en train de se baigner, de parler, de dormir, de se caresser (elle), de lire, sont nos doubles rendus plus réels que nous par l'intoxication toute-puissante et renversée du grand film ambiant.

La caméra est une JVC vidéo-movie japonaise, bordeaux et noire, avec micro intégré. Les résultats sont aussi convaincants que ceux de n'importe quelle chaîne de télévision. Si vous voulez savoir ce que quelqu'un pense réellement de vous, demandez-lui de vous photographier ou de vous filmer : le résultat est flagrant, indiscutable. Cadrage, atmosphère, nimbe projectif, intentions meurtrières ou tempérées de celui ou celle qui a appuyé sur le bouton même – ou surtout – sans réfléchir, tout est là immédiatement, l'amour, l'indifférence, la haine, la réticence, la rancœur, l'arc-en-ciel des attirances et des répulsions. Eh bien, elle m'aime à 70 %, c'est énorme. D'habitude, je n'atteinds que 40 ou 50, sourires, parfois, déclarations positives, mais clichés désastreux, réprobation sombre. Où en sommes-nous ? Déjà douze heures de bobine ? Par tous les temps, dehors, dedans ? *Bobine*, autrefois, très bon mot pour visage, pas de hasard de langue, gueule, bouille, trombine, minois, amenez les animaux, laissez-les se détendre, s'échapper d'eux-mêmes, montrer leurs plis, leurs replis. Moi, c'est 90 % à l'égard de Luz, c'est clair, voyez ces plans de cou, de nez, d'oreille. Et les mains. Longuement. Très longuement. Anormalement longuement. Jamais de mains n'ont eu tant de doigts, Picasso a été timide. Et les chevilles, les seins, les fesses, le dos, images massages, omoplates, épaules. Les coudes. La glace aux fruits de la passion : langue et lèvres, coin des lèvres, zoom (elle me filme sous le laurier en train d'écrire cette phrase). Luz faisant la planche dans la piscine, bonnet noir cachant ses cheveux blonds. Hirondelles piquant pour boire, mouettes plus haut, mouvement serré, plus profond. *Voyager II* autour de Neptune, ensemble dédié à Le Verrier, à l'Observatoire, à Stendhal, à l'inconnu du sarcophage, à Van Gogh, Manet, Spinoza, Cavaillès, Mozart (le vrai). Et les yeux, les yeux, les yeux, tous ces yeux, de nouveau et encore les yeux, éclaire, éclaire, donne encore et toujours plus de *ce bleu qui voit*. C'est mon rêve, bien sûr, la page qui vous regarde, de l'autre côté du miroir (du mouroir). Oui, n'en finis pas de faire briller ces yeux, et encore ces yeux, et dis-le encore que voir, toucher, sentir, écouter, parler, ne sont qu'un seul nœud impalpable, là, au soleil. Non, on reprend. Non, non, on recommence. Il fait un temps gris flottant, on va travailler la nacre. Mets cette blouse, non, le pull noir, non, la robe de soie mauve, un peu de pluie fine sur la soie. Tu montes sur le bateau, tu vas sur la plage arrière, tu restes là, tu te laisses mouiller, oui, vite, et après : bain chaud. Je ne t'ennuie pas? Tu es sûre? Il faudrait classer toutes les variétés de rires, de moues, de fous rires, de faux rires, bouquet, pense à marquer le jour, prends le feutre, le temps va vite, on oublie les trois quarts de tout. Mais oublier de cette façon change l'oubli en un autre oubli. Le français n'a pas de différence entre *time* et *weather*, on ne dit pas : weather is money, on a tort. Quelle est la phrase habituelle de Richard, voix un peu chantante? « Ça va bien cinq minutes. » Et toi, ta phrase? « On peut le penser. » Reprenons. Explique-moi encore ce qu'est le rayonnement du fond du ciel ou comment, plus une galaxie est loin et plus elle s'éloigne vite, pas évident, histoire du décalage vers le rouge. Décalons-nous vers le rouge. Ou encore comment l'espace et le temps sont finis, mais sans frontières, *sans bords*. Avec quelle rapidité, déjà, une fusée doit-elle se déplacer pour échapper à la gravité terrestre? Douze kilomètres seconde? Bon. Quand je te vois, tu n'es déjà plus où je te vois, distance infinitésimale, seconde de seconde de seconde. Quel beau mot, seconde : tu me secondes, je te seconde, nous nous secondons.

– Allez, vas-y sur Watteau.

– Une autre fois.

– Non, maintenant. (Blanc.) S'il te plaît.

-- ... (Plan bleu piscine.)

– Première : le secret de Watteau, *La Toilette intime.* (Sonnerie téléphone.)

– Shit.

C'est Geena : Luz enregistre la conversation.

A l'heure des réseaux et des satellites, il n'y a plus que des réseaux et des satellites, le parasitage règne, le bruit est multiplié par mille de l'intérieur. Plus rien n'est vraiment dit ou entendu, mais tout se répète, s'écoute. Pas de pensée, mais pullulement de signaux, écume d'écume, réduction maniaque et raidie. Comme toujours, il y a les surveillants et les surveillés, mais les surveillés sont devenus surveillants, pourquoi, comment, ils ont leurs raisons, excellentes. Espionnage pour le principe, on ne se rappelle même plus pour quoi ni pour qui, les uns les autres, contre les uns et contre les autres. Question angoissée d'un magazine sur l'existence possible d'extra-terrestres (il faut bien vendre les journaux pendant l'été) : « Si nous captons un signal, que devra faire la Terre? Devrons-nous répondre? Qui décidera? »

Allô, ici des intelligences inter-galactiques supérieures à la vôtre. Nous vous sommons de livrer dans la semaine toutes vos œuvres d'art, sinon destruction totale. Répondez en apportant sur-le-champ et au complet Titien, Vermeer, Rembrandt.

Monsieur le Président, que décidez-vous?

Attention, dirait Céline, « précaution ésotérique ». « L'enfer n'a pas cuit en un jour. » « Une jouissance, pas davantage. » « Je reste au mieux avec les musiques, les petites bêtes, l'harmonie des songes, le chat, son ronron. » Et encore (lettre à Henry Miller) : « Soignez bien votre discrétion! Toujours plus de discrétion! Sachez avoir tort. Le monde est plein de gens qui ont raison. C'est pour cela qu'il écœure! »

Geena est maintenant, comme on dirait dans les romans, mon officier traitant. Geena Mac Bride, alias Mozart, après avoir consulté Richard Milstein, alias Andy, et Nicole Vuillaud, alias Dürer, appelle Pierre Froissart pour savoir où il en est, ou plutôt ce qu'il dissimule. Inutile de me faire suivre, de me mettre sur écoute continue, de détourner mon fax ou d'ouvrir mon courrier, quelques phrases au téléphone suffisent, sondage direct dans la voix. Hello, comment vas-tu? C'est mon ton qui l'intéresse, pas ma réponse (qu'elle n'écoute pas), le timbre haut ou bas, énervé ou calme, mon *audio-spectre*. Elle saura ainsi, avec un instinct très sûr, si je suis fatigué, concentré, confiant, amer, en cours de crédulité ou de désillusion, plus ou moins dangereux, vulnérable. La présence donne moins d'informations, sauf les seules qui préoccupent vos partenaires aujourd'hui : bonne ou mauvaise mine, grossi ou maigri, malade, usé, en forme, élimination possible ou prudence. Pourquoi me dis-tu que tu vas à Rome pour que je croie que tu vas à Londres, alors que tu vas réellement à Rome? Ce n'est pas une plaisanterie mais le coup d'envoi de chaque conversation. Il faut donc avoir sous la main son échiquier ou son jeu de cartes. Deviner ce que l'autre espère vous voir faire comme faute, miser sur son désir constant de blâme. « Que veut une femme? », a dit un bon auteur, « un homme à blâmer ». De ce point de vue, d'ailleurs, une femme devient fréquemment l'homme à blâmer, tandis que toutes les hommes peuvent de leur côté se changer en blâmeuses. Contraction hystérique, moteur. Il paraît qu'il existe une secte mystique, style soufi : « les gens du blâme ». Ils prennent sur eux le reproche et la réprobation de base, plaisir de tous les instants. On imagine une carte de visite : « X., *blâmable.* » Ça les rend tellement contents, pourquoi les priver ? On peut même aller jusqu'à commettre *l'erreur bien visible* qu'ils n'osaient pas espérer, ça y est, ils vous tiennent, vous avez eu votre moment de faiblesse ou d'inattention, vous avez été repris par votre défaut principal, votre garde est baissée : le blâme. Pendant ce temps, vous pouvez tranquillement faire autre chose, déménager, changer de numéro, préparer les étapes suivantes de vos mauvaises actions, c'est-à-dire, en réalité, vos activités les plus innocentes, les plus naturelles, celles que, bien entendu, *on ne vous suppose jamais.* Apprenez à vous laisser déchiffrer à contre-sens, préparez les retards de perception dont vous êtes l'objet, un bon agent est comme une étoile dont la lumière ne parvient aux observateurs que lorsqu'elle est morte ou qu'elle a abandonné une région pour en emprunter une autre. Vous guettez des messages extra-terrestres ? Sans blague ? Venez m'interroger. Pourquoi me dis-tu que tu vas à Rome pour que je croie que tu vas à Londres en devinant que tu vas à Rome, alors que tu vas *en effet* à Londres ? Spirales... Il n'y a pas de contact humain qui ne soit fondé sur la déstabilisation, les meilleurs petits démons sont ceux qui le savent, marionnettes de l'esprit qui s'ennuie et qui toujours nie. Autre truc : jetez-leur des affirmations en vrac. Ils vont les nier aussitôt : bien. Ça les occupe. Un os, un autre os, vive ceci, vive cela. Ne pas se déplacer sans un sac d'os. Appuyez-vous sur la cuistrerie des diabolos, elle ne vous décevra pas. Le diabolo, en plus d'une indéfinissable odeur de formol, est infailliblement reconnaissable à ceci : il y a des sujets sérieux et d'autres qui ne le sont pas, *il y a des sujets sur lesquels on ne plaisante pas* (variations pincées selon les époques).

Voltaire : « Le monde est un chaos d'absurdités et d'horreurs, j'en ai les preuves. »

Le magazine n'envisage à aucun moment, c'est drôle, l'existence d'extra-terrestres *de mauvaise foi*. Qui répondraient pour tromper et détruire. Mais le magazine concurrent du magazine, lui, va plus loin : révélations sur la mort, les visions dans la mort, le contact avec les chers disparus. Inscrivez-vous. Y a-t-il une vie extra-terrestre après la mort? Sommes-nous des extra-terrestres malgré la mort? Ce n'est pas exclu. On en parle. Des recherches avec budgets sont en cours.

De mon arrière-arrière-grand-tante jusqu'à ma petite-petite-nièce, les sujets sur lesquels on ne plaisante pas se sont développés ainsi : curés, religieuses, armée, famille, patrie, enfants, maternité, racisme, droits de l'homme, peuple, misère, travail, démocratie, camps de concentration, famine, femme, argent, mort, animaux, nature, et finalement dieu, comme toujours.

Voltaire, lettre à d'Alembert (1773) : « Il n'y a plus de correspondance, plus de confiance, plus de consolation; tout est perdu; nous sommes entre les mains des barbares. »

Un barbare plutôt content de son sort pensera, en lisant cette phrase : « Mais non, mais non... »

Geena veut savoir ce que je fais à Venise? Ma mission est pourtant simple : je suis l'écrivain-touriste, repérages pour un livre d'art, le photographe amateur, l'insatiable curieux des palais et des églises, la taupe que l'on peut rallumer quand on veut. Je sais qu'il y aura des bateaux, d'où l'installation près de la Salute. Le *Player II*, dont le port d'attache est Gibraltar, croisera ici le *Sea Sky*, de Londres. Je serai prévenu, je surveillerai les opérations.

Oui, mais Luz n'était pas prévue au programme, et bien que je l'aie présentée comme une couverture idéale, elle ne peut s'empêcher, Geena, de tâter à distance l'espace qui m'entoure. Jalouse ? Non, trop professionnelle, et pourtant si. Réflexe « j'ai quelqu'un pour toi ».

J'appuie sur la touche « désabusement classique », banalités détachées. Sang-froid morose. Qu'aurait-elle à faire des intentions cachées de Watteau ? Deux mois avec une étudiante américaine ? Et alors ? Tout le monde a besoin de vacances. Étudiante en quoi ? Physique ? Astronomie ? Berkeley ? Rencontrée où ? Voulant quoi ? Rien de spécial ? Pas de dossier ? Pas d'archives ? Parents, amis, ambassade ? Professeurs, amants, amies ? CIA ? FBI ? NSA ? Narcs ? Rien ? Sourire d'une nuit d'été ? Ces Français...

– A Paris fin juin ?

J'ai peut-être le droit de m'amuser, mais à condition, de temps en temps, de payer un peu.

Luz n'est pas une experte en sécrétions rentables, comme Geena ou Nicole. Pour en être là, il faut le plus souvent des mariages, de l'enfant pluriel, des pensions alimentaires, le regard juridique, bancaire, administratif, immobilier, médical, la compétition permanente. Carrière first. Luz débute, elle est douée, elle n'a pas encore le pli d'amertume et cette mâchoire nouée qui marquent l'expérience de la frontière électrifiée finale, elle ne sera d'ailleurs pas durcie, c'est mon impression maintenant, mais sait-on jamais. J'en profite, ce n'est pas bien si l'on veut. Il y a les homophobes de départ, et puis les homophiles projectives deviennent peu à peu homophobes, la croissance en phobe est la loi. Le plus tard est le mieux. Courage, tête un peu grimaçante, ton crâne n'est pas encore dans les cailloux ou à vendre, fais-la rouler dans les jours.

Coup d'œil sur les lauriers-roses.

« *Je prends au hasard ce que le sort place sur ma route.* »

Stendhal, dans ses *Souvenirs*, a souligné lui-même et a ajouté : « Cette phrase a fait mon orgueil pendant 10 ans. »

On connaît son programme (très sage pour un faux-vrai consul) :

« En arrivant dans une ville, je demande toujours :

1° Quelles sont les douze plus jolies femmes.

2° Quels sont les douze hommes les plus riches.

3° Quel est l'homme qui peut me faire pendre. »

Il aurait pu aller jusqu'à : quelle est la femme qui conseille l'homme qui peut me faire pendre.

Je pense à la terrasse et aux matins d'hiver de la 52e Ouest, au vent glacé devant Central Park. J'aime bien la solitude écrasée, à crier, de certains jours à New York. Plus d'une fois, je me suis dit que c'était là que je devrais disparaître, pardon : désapparaître. Hop, envolé. Non sum.

Luz frappe doucement à la porte : « Je sors. »

Je la suis en pensée sur les places et dans les ruelles, sur les ponts et au bord de l'eau, le cliché est juste, la cité idéale a été conçue et construite au moins une fois. Comment retourner la honte de la viande humaine, comment assurer une dictature de l'esprit dans une république des corps? Solution esthétique et mathématique. Compartimentation, écoulement, zones étanches, angles, invisibilités, profils, retenues, bassins, ouvertures sur ouvertures, passages couverts, coupures, coins, suspensions, reflets. On peut rêver là d'une population éveillée poursuivant ses calculs, société de Chinois discrets. Pas de bruit, sauf les sirènes des bateaux, les cloches, ou bien, parfois, multipliant les creux, des coups de marteau contre les coques, on répare pour naviguer, chaque percussion est encourageante, favorable, commerce, glissement, silence, évaporation d'atomes, temps lent, rapide, aéré. Amsterdam a pu avoir ce charme pour la philosophie, mais maintenant, si nous le voulons vraiment, plus rien ne nous gêne. Laisse filer ta main, retrouve-toi miroir des miroirs. Je vais dans la chambre de Luz, bien en ordre, je vois le haut du dôme de la Salute dans sa fenêtre, je feuillette ses livres remplis d'équations auxquelles je ne comprends rien. Je suis sous sa protection, j'aime une fée, le destin, à travers elle, me guette et baguette... Ah, mais comment voulez-vous qu'on vous croie, ça n'existe pas, votre conte... Tant pis... Il n'existait pas davantage quand j'avais dix ans, au fond du jardin, là-bas (« Tu écoutes ce qu'on te dit? Tu as eu une apparition? »...) Vous avez bien trente ou cinquante malheurs à nous raconter, des infirmités, des purulations, des frustrations, des humiliations, des fureurs, des terreurs? Oui, non, j'oublie... L'homme ne doit pas créer le malheur dans ses livres... J'attends l'ombre, la dérobée, je connais le passage, à gauche... On se retrouve près du puits blanc (datant de 1550), les hirondelles crient encore un peu dans le bleu du noir, on se voit de moins en moins, on se fait des pieds de nez, pourquoi inventerais-je des choses pareilles, tant pis, tant pis... Blue Moon, Blue Haze, Billie Holiday, Miles Davis... Le noir du grand bleu beau temps... Le bleu n'est vraiment bleu sur le blanc que gorgé de noir par le temps. Blanc cornée, noir iris, bleu prunelle. Et Blue Monk, Black and Blue, tous les titres où il y a le mot blue. Chut, pas un son, sauf mouettes, hirondelles, frottement du bois et des cordes... Reposez-vous, dit le crissement constant, reposez-vous à l'amarre, tous les canaux sont de votre côté, les canaux, les couchants... Ta main, ton bras, changement de main et de bras – vite. Voir-sentir-écouter-toucher partout de partout. Léger bleu sur l'épaule droite.

Quand aurions-nous pu nous rencontrer? Elle est venue pour la première fois en Italie avec ses parents à l'âge de huit ans, donc en 1974, Rome, Florence, Venise. Elle ne se souvient pas de grand-chose, églises, peintures, églises, peintures, mais quand même la lumière, l'eau, c'était en mai, j'étais là, je revenais de Chine, peut-être s'est-on croisés près de l'Académie ou du Rialto. Elle est ensuite à New York lorsqu'elle a douze ans, 1978, Uptown, je suis dans le bas de la ville pendant trois mois, je revois le grand loft blanc, le matelas par terre, Geena en train de préparer avec soin les lignes de coke sur la table (la paille en celluloïd mauve pour elle, rouge pour moi), été indien, week-ends à Long Island, bains et après-midi nus sur l'herbe. A New York encore, l'année suivante et l'année d'après, moi aussi, millions de corps en mouvement, et ses yeux, donc, voyaient la même pluie que les miens, les mêmes nuages dans les gratte-ciel verts, sa peau était coupée par le même vent océanique et tonique, elle est allée plusieurs fois au Metropolitan, j'aurais pu l'isoler dans le tourbillon, la remarquer devant *La Femme au perroquet* de Manet. Elle est à Paris au printemps 1983, dix-sept ans, april in Paris, où elle a vu *L'Indifférent, La Finette*, mais comme ça, sans plus, son grand souvenir c'est Versailles, la Seine. Et de nouveau à Paris, après Londres, il y a trois ans, elle a vingt ans. Il faudrait que je me souvienne, moi, de la première fois que j'ai lu *Une très courte histoire*, d'Hemingway, qui commence ainsi : « Par une soirée brûlante, à Padoue, on le transporta sur le toit d'où il pouvait découvrir toute la ville. Des martinets rayaient le ciel. La nuit tomba et les projecteurs s'allumèrent. Les autres descendirent et emportèrent les bouteilles. Luz et lui les entendirent en dessous, sur le balcon. Luz s'assit sur le lit. Elle était fraîche et douce dans la nuit chaude. »

Je n'en ai pas la moindre idée, mais c'est maintenant, bien

sûr, un des textes que je préfère dans toute la littérature. Il tient en deux pages et demie. C'est la Première Guerre mondiale, Hemingway est blessé, elle est infirmière, « ils plaisantaient de mystère et de clystère ». Ils veulent se marier, il repart pour Chicago, elle lui écrit (pas de téléphone, alors, ni de fax), elle finit par préférer quelqu'un d'autre qui, d'ailleurs, ne l'épousera pas, elle le lui annonce par lettre, et fin abrupte de la nouvelle : « Peu de temps après, il attrapa la chaude-pisse avec une vendeuse du rayon de mercerie d'un grand magasin, en traversant Lincoln Park en taxi. » C'est du très bon Hemingway, brutal et fin, bien dans l'axe. On n'oublie pas : « les martinets rayaient le ciel ». A Padoue.

Martinet : oiseau ressemblant à l'hirondelle, mais à ailes plus étroites et à queue plus courte (longueur : 16 cm). Il reste en France de mai au début août et chasse les insectes au cours de son vol rapide (Ordre des micropodiformes).

C'est Luz qui m'a montré l'article dans le *New York Times* : *Le crâne d'Amadeus.* « On vient d'identifier le crâne de Mozart. Le compositeur était atteint d'une malformation rarissime des sutures frontales. » Grande photo bien noire et bien blanche, là, vivante, creusant la page, trouant toutes les pages, informations, bourse, nécrologies. Bombement du front, suture précoce... La conclusion nous rassure : « Cette malformation n'a pas empêché Mozart d'avoir une capacité cérébrale légèrement supérieure à la normale de l'ordre de 1 585 centimètres cubes. » Ouf. Au milieu du journal, donc, le crâne. A gauche, une controverse sur le pétrole et les pipelines. A droite, l'épineuse question, de plus en plus empoisonnée, des embryons surnuméraires. Ils sont congelés, les couples se les disputent. Titre : *Transparence des éprou-*

vettes. (En russe : glasnost.) Bien, bien, tout est en ordre. Mozart, donc, comme chacun sait, meurt d'une fièvre miliaire aiguë le 5 décembre 1791, à 0 h 55 (et non pas 56, d'après une erreur courante), au numéro 970 Rauhensteingasse, à Vienne. Il a trente-six ans. Enterrement de troisième classe, cathédrale Saint-Étienne, cimetière Saint-Marx *(sic)* dans les faubourgs. Vous avez dû voir ça au cinéma. En 1842, année de la mort de Constance, sa femme (moins infidèle que vous n'avez envie de le penser), l'anatomiste autrichien Jacob Hirtl retrouve le crâne. (Voilà comment on raconte l'histoire : j'attire votre attention sur la logique toute particulière qui veut qu'un anatomiste découvre le crâne d'un musicien *après la mort de sa femme* : pourquoi, comment, mystère.) Le transfert a lieu au Mozarteum de Salzbourg en 1901 (que se passe-t-il pendant tout ce temps ?). Le doute subsistant sur l'authenticité de ce bloc osseux, duquel nulle mélodie ne s'échappe même les nuits de pleine lune, on l'enferme dans le placard de la bibliothèque où personne, apparemment, n'a l'idée de le dérober (merci, voilà qui ne saurait tarder : « Mozart, c'est insensé ! Dépêchez-vous d'arranger cette affaire ! »). On vient juste de le passer au scanner et au microscope à balayage. La craniosténose, fermeture prématurée de la suture métopique du front, est désormais un objet d'études, grâce, notamment, aux trente mille crânes du Musée de l'Homme (non, non, je ne ferai aucune révélation sur ce sujet). Le portrait de Mozart réalisé par son beau-frère, Lange, permet de confirmer l'analyse. Pour plus d'informations voir *The American Journal of Physical Anthropology* (ou alors, tapez 33.33 code : Petite musique).

Conclusion : comme il s'agit de la première description chez l'homme adulte d'une telle malformation, Mozart sans le savoir (mais ça l'aurait amusé, c'est bien ce que vous voulez dire ?) a ainsi fait progresser la science. Voilà qui le rapproche singulièrement de nous. Des expositions sont prévues dans le monde entier pour expliquer comment cette plus que célèbre dépouille mortelle a été, en deux cents ans, enterrée, déterrée, rangée, dérangée et enfin reconnue.

Aspirine.

Je faxe l'ensemble à Geena : Froissart à Mozart à propos du crâne de Mozart. Petit concert privé, un jour, au Japon? En Californie? Belle journée sous les arbres, airs de concert, ouverture du coffre-fort avant et après, dix gardes du corps armés, boîte de cristal apportée par la plus jolie petite fille de la ville, coussin d'or? Comme Mathilde, dans *Le Rouge et le Noir* : « elle avait placé sur une petite table de marbre, devant elle, la tête de Julien et la baisait au front... »?

« Le crâne de Mozart, monsieur. – Pardon? – Le véritable crâne de Wolfgang Amadeus Mozart. – Authentique? Garanties scientifiques? – Voilà les documents, monsieur. – Combien? – Vous comprenez qu'il s'agit d'une pièce inouïe. – Vous êtes sûre qu'il ne s'agit pas *déjà* d'une des dix copies en train d'être revendues en douce? – Pas du tout : *Mozart lui-même.* – Personne ne se doutera de la substitution? – Personne, monsieur. – Vous savez que j'aime beaucoup cette jeune chanteuse... – J'y pensais justement, monsieur. »

Je vois la scène : les derniers invités sont partis, la nuit règne, l'heureuse élue, nouvelle Mathilde cosmique, éblouissante dans sa longue robe noire moulante, gorge rehaussée d'une rivière de diamants, allume des flambeaux dans les grands salons. Elle pose le crâne sur l'une des cheminées. Ô comme elle pense s'évanouir quand ses lèvres s'approchent de ce front immortel! Comme sa poitrine se dilate! Comme ses seins se dressent, comme ses chevilles brûlent! Elle approche sa bouche, qui vient de faire vibrer, une fois encore, le fameux solo suraigu de *La Flûte enchantée.* Enfin l'effleurement a lieu, elle efface avec son mouchoir de dentelle la toute petite trace de rouge à lèvres fardant l'os, ce sera toujours la plus forte émotion de sa vie. Secret absolu, bien sûr. Quel trouble en elle quand, allongée près de la piscine, sous les palmiers, un foulard de soie jaune autour de sa gorge, elle lève de temps en temps les yeux vers la terrasse gardée jour et nuit, celle du Président en personne, et qu'elle se souvient que Lui, l'aimé des dieux, le génie des génies, l'Amour, *est là*. Sauvé de la fosse commune et, pire encore, des vitrines. Enfin, Sa Tête, mais tout est dans la tête, n'est-ce pas. Espérons qu'Il ne sera pas revendu tout de suite, elle ne Le possède pas encore, et elle risque d'avoir pour rivale cette brune ambitieuse et chaude au prochain Salzbourg...

Vols ! Ventes ! Vols aux ventes ! Sachez discerner les crânes dans les armoires blindées, comme la signature tête de mort dans la trame des *Ambassadeurs* d'Holbein...

(Une pensée pour les trente mille crânes du Musée de l'Homme.)

A-t-il songé à Holbein, Warhol ? Sans doute. Ses *Têtes de mort* à lui datent de 1976. Celle que je regarde sur mon écran, silkscreen ink on synthetic polymer paint on canvas (335,3 × 381 cm) appartient à la Menil Collection, Houston, Texas. Blanc sur noir de l'os aux dents très sorties et rieuses sur fond vert et bleu, avec présentation sur plat d'ombre cernée de rouge. Il en a fait une autre de mêmes dimensions, en rose, jaune et vert pomme. Et neuf petites, qui sont restées chez lui, de toutes les couleurs. Et l'autoportrait avec crâne sur l'épaule gauche (1978), pendant de l'autoportrait avec mains en train de l'étrangler par-derrière. Et enfin les quatre *Philip's Skull* (de 1985) (private collection).

RÊVE (à peine) : SKULLS

– Vous avez le crâne de Shakespeare ?

– Ne plaisantez pas, monsieur, vous savez bien.

– Celui de Galilée? D'Einstein?
– Nous agissons.
– Et Marx? Freud? J'aimerais bien faire un cendrier avec Marx. Et présenter Freud de façon gaie, sur socle phallique par exemple.
– Ça pourrait s'arranger pour Marx avec Londres. Mais pour Freud, vous devez y renoncer, monsieur. Il a été incinéré et mis dans un vase grec par la princesse Bonaparte.
– Eh bien, achetez le vase.
– Nous allons essayer. Mais nous pouvons aboutir assez rapidement avec Lénine, Mao, Hô Chi Minh, Che Guevara.
– Oh oui, cendriers, cendriers. On n'a toujours pas retrouvé la tête de Sade?
– Les recherches se poursuivent. En revanche le rouleau des *Cent vingt journées de Sodome* est accessible. Nous pouvons faire une offre.
– Les Russes ont bien dû garder la tête de Staline après sa désintégration?
– Bien sûr. Mais ils en demandent une somme exorbitante.
– Laissez venir. Avons-nous l'artiste qui pourrait mettre l'ensemble en valeur?
– Aucun problème.
– Et Bach? Beethoven? Quelques papes? Christophe Colomb? Philippe II d'Espagne? Michel-Ange? Napoléon? La reine Victoria? Luther? Goethe? Kant? Hegel? Nietzsche? Remuez-vous un peu!
– Oui, monsieur. Mais je vous signale que la France s'affole. Nous pouvons peut-être obtenir à un très bon prix Pascal, Stendhal, Proust.
– Pas mal.
– Joyce, via Zurich.
– Pas mal, pas mal.

– Van Gogh, Cézanne, Picasso.
– Ah, mais bien sûr ! Adjugé !
– Warhol.
– Alas, poor Yorick ! Parfait. Quel Panthéon en plein Pacifique ! Le temple syncrétiste de Houston enfoncé ! Quelle sublime coulisse universelle ! Mozart au centre ! Vous comprenez, ma petite, c'est réellement la fin de l'Histoire. Nous comprenons tout depuis le début et pour toujours. Imaginez ça : *nous ne pouvons plus nous tromper ! Plus de maudit possible ! Plus de tribunal du temps ! L'art n'était qu'une maladie infantile !* Mon idéal : Crânes et mouettes ! L'Océan ! Plus de vagues ! Osséan ! Skulls, gulls !

Un corps voluptueux hante désormais le monde et l'argent du monde : la chair de paysage éclatante de la peinture perdue, obsédant les spectres des morts-vivants. Toute surface sensible, elle, n'a à perdre que ses chaînes.
Luz :
– Mon horoscope dit que je suis en train de vivre une grande passion.
– Tu lis ton horoscope ?

Reprenons. Mozart, un jour de neige, n'a-t-il pas été enterré, corbillard seulement suivi par un chien, dans une fosse commune ? Si ? Mais alors, comment sa tête a-t-elle pu resurgir du magma ? Est-elle remontée toute seule à la surface ? Vous n'allez pas soutenir qu'elle a été prélevée *avant* par sa femme sentant venir l'avenir, comme Johanna, la femme de Théo Van Gogh, réécrivant la correspondance de

Vincent à son frère, les fàisant inhumer côte à côte, après avoir poussé le peintre au suicide pour des questions de *loyer*? Mon dieu, que tout cela est confus, chaotique... Constance Mozart, au cimetière Saint-Marx, une lanterne à la main... Faisant remonter le sac, emportant la tête... Quel est ce petit homme courbé qui l'accompagne? Et le crâne de Goya? Pourquoi ne se trouvait-il pas dans son cercueil réouvert à Bordeaux? Et où se trouve celui de la duchesse d'Albe, la maja tantôt vêtue, tantôt nue? Ma migraine augmente. Rendez-moi le crâne d'Artaud! Le curé d'Ivry l'a volé pour le rebaptiser! Démenti très ferme de l'Archevêché. On prétend qu'un fémur de Warhol guérit le sida en Inde. Déjà trois faux maxillaires de Van Gogh saisis à la frontière suisse. Et toujours cette vieille femme agonisante, au milieu de ses excréments, hurlant dans la nuit : « Murillo! Murillo! » « Maître, expliquez-nous cette danse macabre. – Nous n'y pouvons rien, crise du sacré. – Moyen Âge? – En quelque sorte. – On vend demain la main droite de Monet. – Rien d'étonnant. – Et après-demain un tibia de Picasso conservé par sa femme, suicidée elle-même. – Normal. – Des Japonais fouillent sauvagement les greniers d'Auvers-sur-Oise à la recherche de toiles cachées, ils ont encore torturé hier une descendante illégitime du docteur Gachet. De vraies hyènes. Où cela s'arrêtera-t-il? – Nulle part. – Trois enfants viennent de se couper eux-mêmes l'oreille après leur cours de dessin. – Indemnisez les familles. – Mais ce n'est pas raisonnable! – Qu'est-ce qui l'est, aujourd'hui? – Dites-moi, vous n'avez pas quelques Tahitiennes grasses et vicieuses? – Pardon? – Rien, rien, je rêvais de Gauguin...

J'étais à New York, je pensais à Venise ; je suis à Venise, je pense à New York ; les lignes se superposent, verticales et horizontales, froid et chaud, pierre et acier, avenues et passages, ponts géants et petits ponts de bois ou de briques, églises et tours, air conditionné et rideaux agités par le vent doux d'après-midi, devant moi. Entre l'italien et l'anglais, le français fonctionne comme une oreille-filtre, un souple clavier logique. On rencontre qui il faut, quand il faut, comme il faut. Luz, donc, mais aussi Geena au moment où j'étais obligé de passer dans l'ombre (quelle joie, aussi, de marcher dans l'oubli en plein beau temps avec son squelette incorporé, reste futur et muet). La vie ? Nouveaux acteurs, partenaires parfois retrouvés, autres pièces, autres rôles, réinterprétation du passé, tournant du présent, avenir encore plus douteux... Pas la même mort et, soudain, un cadavre *nettement différent* se salue. J'ai été, je suis, je ne suis pas, je suis.

J'aime lire, dans le *Journal* de Stendhal, à la date du 1er janvier 1834 (il est à Florence) : « Temps délicieux. Tout occupé des idées astronomiques pour avoir lu Herschel. » Herschel, une ténébreuse affaire entre frère et sœur – Frédéric-Guillaume et Caroline-Lucrèce – raflant à eux deux Uranus, Saturne, des nébuleuses, des étoiles doubles et triples, mais il y a encore un autre découvreur, Herschel fils (Jean), cinq cent vingt-cinq nébuleuses, trois mille ou quatre mille étoiles.

25 juin, fin du vingtième siècle, Venise : temps délicieux, elle me parle de Neptune, je regarde sa tête dorée au soleil.

Voyager II, à quatre milliards et demi de kilomètres de nous, poursuit son travail. L'espionnage développe la science : qui augmente sa science augmente son service de renseignements. Au même moment (mais vous établissez vraiment un rapport ?) le marché de l'art se condense, prend feu, décolle, change d'orbite. Ce qui m'intéresse, moi, pour l'instant, c'est cette contraction de cœur glacé au centre de

Neptune et de Jupiter. Parti en 1977, *Voyager* fonce sur son objectif (Neptune, Néréide, Triton) à la vitesse de 27 km seconde. Il a survolé Jupiter en 1979, frôlé Saturne en 1981, approché Uranus en 1986. Après Neptune, sortie du système solaire, noir. Voyage au début de la nuit.

Luz avait onze ans au moment du lancement, cette histoire fait partie de sa biographie de future planétologue. Pensant, de temps en temps, « tiens mes yeux progressent en ce moment à 27 km seconde, mes yeux ou plutôt le chiffrage à travers mes yeux, mon regard délégué présent là où mon corps ne pourrait pas survivre une seconde ». Lecteur, on te cache tout. Trop d'argent, de distances, de techniques, tu n'en peux plus, tu t'effondres. Tu réclamais un dieu, il descend, le voici. Tu cours à la télévision pour t'assurer que la réalité est bien déjà télévisée en elle-même. Neptune : de *nare*, nager... « A chaque instant, ou presque, *Voyager* oblige à éliminer les données antérieures et à réécrire les données connues ; à chaque instant, il se passe quelque chose : *instant science*, science instantanée. »

Moins deux cents degrés gris-bleu. Cirrus de méthane et geysers d'azote. Bombardements, cyclones continus gazeux. Et les extra-terrestres ? Ne vous inquiétez pas, plus loin, toujours plus loin. Vous avez pensé au message transmis ? A tout hasard ? Au cas où ils voudraient nous contacter pour bavarder avec nous ? L'enregistrement des fragments essentiels de Dante ? L'intégrale de *La Flûte enchantée* ?

L'*instant novel*, le roman instantané, est un autre monde (piles de cassettes dans l'armoire du salon).

Pierre Froissart, 52 West Broadway, Calle di Mezzo, Venise. La distance entre Paris et Venise est de 836 kilomètres. On survole Troyes, les Alpes, Zurich, Milan. A l'arrivée, chaleur, chiens-loups policiers flairant les bagages. Je sors par la petite porte, à droite, puis taxi sur l'eau, plus vite. Tout de suite, dans le bateau, je mets des sandales noires yellowside, trekking team, toile et minces semelles de caoutchouc, l'ombre même. Embrasse-moi et embrasse-moi. Ils viendront prendre des photos de l'endroit, tu verras. Comment, tout cela a eu lieu et nous n'en avons rien su, c'est inadmissible! Nous n'avons rien soupçonné sur le moment? Rien fait? Une étudiante américaine en physique? Bateaux en plein jour, ni vus ni connus? Et les autres ont reconstitué leur vieux réseau? Ils se sont retrouvés après tant d'années? 1968? Vingt ans? Chacun, pendant ce temps, dans son chemin, États-Unis, Allemagne, Italie, Angleterre, Hollande, Espagne? Et celui-là en France, de loin, avec eux? On croyait le connaître, pourtant. Contrôler ses revenus, son ambition, sa femme, ses enfants, ses amis, ses maîtresses. Personnellement, je l'ai toujours pris pour un clown. Double vie? Triple? Quadruple? Et en plus membre du « dernier carré »? Non, si c'est le cas, il ne parlera jamais des *trois autres.*

Je me suis toujours entraîné. Enfant, je faisais semblant d'être avec eux, de rentrer chez eux, je savais qu'ils simulaient et dissimulaient, eux aussi, toujours en vue d'une seule scène : cimetière. Ils ne pensent qu'à ça. Dis-moi, était-ce une attitude spontanément « scientifique »? Dis-moi, petite lumière bleue, jaune et blanche, transférée du Sud au Nord et revenue ici en contrebande? Les acteurs finissent par être seulement des couleurs. Geena, rouge et noire; Nicole, grise et verte; Bella, avec Fleur, blanche et bleue; Richard, emporté par son-discours, discourir-courir, même mot, gris-clair. Et moi? Vert et bleu, non? Les couleurs se connaissent, nous sommes des variations les uns pour les autres. Tu te connais mieux grâce à moi, et moi grâce à toi.

Tu n'as pas grand-chose à me dire mais beaucoup de choses à exprimer en ma présence. Très bien. Pudeur de peau, avenir, indifférence amusée, agressivité mimée, on va le secouer ce sac de merde et de mort, on n'est pas faits pour y *finir*, n'est-ce pas, ma finette? *Afterdose*, roman : histoire d'un type revenu de tout, pas triste, au contraire, et devenu inexcitable, sauf par jeu.

Nous sommes ici, donc, dans une des intrigues du jeu :

La Fête à Venise est un tableau de Watteau réapparu sur le marché clandestin à peu près au même moment que resurgissait à l'improviste (vases communicants) *La Surprise*, disparue depuis 1801 (roman incroyable, brocanteur en Vendée, petits truands garagistes, arrière-salle de brasserie, facile descente de police). Il n'est pas sans rappeler le tableau célèbre du Prado, à Madrid : *Fête galante devant la fontaine de Neptune*. Mais il est de la même époque que les *Fêtes vénitiennes* d'Édimbourg (entre 1718 et 1719) dont il constitue un redoublement. Je le préfère : de mêmes dimensions, il a quelque chose de plus aéré, de plus détendu, de plus jeté, de plus rouge. Watteau a accentué certains des repentirs qu'il a eus pour l'autre, par exemple en raccourcissant les robes (il a dû peindre *La Fête à Venise* juste après). Il a ajouté deux nouveaux personnages féminins : une deuxième femme-fontaine, explosive de sensualité, toujours sur le modèle du nu de *Nymphe et Satyre* (aujourd'hui au Louvre) et une seconde danseuse retenue, jouant ainsi, comme il le fait souvent (et son époque avec lui) sur la contradiction d'un inanimé – pierre ou marbre – plus habité et charnel que le corps vivant.

C'est un tableau magnifique. Il n'a jamais été montré en public, son existence a été seulement soupçonnée, les diapositives que j'ai devant moi sont par conséquent, à elles seules, un événement. Or personne n'en saura rien, sauf accident très improbable, rien à voir avec le désordre d'amateurs de l'épisode *Surprise*. Oui, oui, un jour, sans doute... En 2036...

Non, ce n'est pas un faux.

Arrivée par le *Player II*, passage sur le *Sea Sky*, je surveille le transbordement, le reste ne me regarde pas.

Voilà.

Naturellement, je ne t'ai rien dit. Dors bien, lis bien, nage bien, nous avons encore du temps devant nous. Nous sommes dans la ville dont Montesquieu écrit en 1728 (sept ans après la mort de Watteau) qu'on peut « y aller de plein jour voir des filles de joie, se marier avec elles, ne pas faire ses pâques, être entièrement inconnu et indépendant dans ses actions ». « A Venise, on ne vous demande ni voitures, ni domestiques, ni habits : du linge blanc vous met au rang de tout le monde. » Et aussi : « Le masque n'est pas un déguisement mais un incognito. » Dis-moi, tu aimes ton *casino*? Ta chambre? Le jardin? Ton amant? Un peu? Beaucoup? Pas encore pas du tout? Du linge blanc... En taxi, l'autre jour, le long de la Seine, sais-tu à quoi je pensais dans le matin gris-bleu réveillant les façades, les volets, les arbres? A un bouquet de pinceaux frais bien lié. Une chemise blanche, des pinceaux, l'air, du temps et des ombres, brève bouffée de certitude au fond de la tête de mort endiablée, tu sais, là où persiste la lueur sensible. Des pinceaux, des plans d'eau : échelles de mémoire tactile.

« Jamais la peinture n'a été si forte; laissez-vous emporter ! »

Time Life a encore frappé.

« Chère lectrice, cher lecteur,

N'avez-vous jamais ressenti, en vous promenant dans un

musée, une intense émotion à la vue de dizaines ou de centaines d'œuvres d'art toutes aussi belles les unes que les autres, comme des témoins de notre passé, c'est-à-dire de notre patrimoine?

Ouvrez les yeux et laissez-vous émerveiller. Vous regarderez ces magnifiques reproductions encore et encore. Car plus on regarde un chef-d'œuvre, plus il vous pénètre.

Et ce n'est pas tout. Un texte concis vous présente l'œuvre, l'artiste, mais aussi les procédés utilisés pour obtenir l'effet recherché, les circonstances dans lesquelles le tableau a été composé.

De grands historiens de l'art vous feront ainsi découvrir tour à tour : la peinture française, la peinture moderne, la peinture hollandaise, Renoir, la Venise des peintres, les Impressionnistes, etc.

Répondez-nous vite à propos de ce premier recueil qui pourra rester gratuitement chez vous pendant dix jours. Vous recevrez en cadeau une pochette de cinq reproductions des plus célèbres tableaux de Van Gogh et en plus, si vous nous répondez dans les huit jours, une pendulette électronique, élégante, raffinée et pratique. »

Ou encore :

« Nice, le 13 mai.

Monsieur, Madame,

Après avoir exercé ma profession de Commissaire-Priseur à Paris pendant de nombreuses années, je suis installé à Nice depuis huit ans tout en gardant un bureau dans notre capitale.

Mes collaborateurs et moi-même sommes sollicités par d'importants collectionneurs, entre autres japonais, pour la recherche de tableaux impressionnistes et modernes, grands maîtres du dix-huitième siècle, ainsi que des objets de valeur exceptionnelle, tels que : sculpture, orfèvrerie et meubles.

Sur simple appel téléphonique à mon bureau de Paris ou de Nice, nous nous déplacerons gracieusement pour tout achat aux nouveaux prix internationaux. »

Le *cadre*, image de l'esclave volontaire moderne, est donc devant la caverne aux trésors. Cadre il est, cadre il est à remplir. Il peut d'abord être défini comme celui qui, le plus souvent d'origine modeste, ne demande qu'à faire la confusion entre original et reproduction. *C'est son identité même.* Il frémit, le cadre, lorsqu'il lit que Gérôme, « peintre médiocre que la postérité a aujourd'hui oublié », barre la route au président Loubet devant la salle où sont exposés les Impressionnistes : « N'entrez pas, monsieur le Président, c'est ici le déshonneur de la France ! » Le cadre concurrent de notre cadre progressiste s'appelle toujours Gérôme. Lui, il est Loubet en puissance. Notre cadre entrera admirer les Impressionnistes malgré Gérôme, au besoin il lui passera sur le corps. Il constatera avec enthousiasme qu'une grande révolution est en cours, en dépit de cette question angoissante : « 1850 : la photographie apparaît, que va devenir la peinture ? » Oui, que va-t-elle devenir ? Et avec le cinéma ? La télévision ? Il commence à sentir par quelles voies détournées, imprévisibles, l'art s'avance jusqu'à lui. Car c'est pour lui, aucun doute, lui, *le vrai Loubet*, ainsi que pour Madame Loubet – et aussi pour son fils et ses filles, Christian, Françoise et Isabelle Loubet –, que s'est déployée l'extrême audace de Van Gogh, son chemin de croix sacrificiel sous Ponce Gérôme. Pour lui encore, infaillible Loubet, que les joyaux de la peinture occidentale ont été vécus et sentis, criés parfois dans le désert des anciens bourgeois conservateurs. Regardez Delacroix : le thème de la lutte est fondamental dans son œuvre, fauves contre fauves, hommes contre hommes, sous-directeurs contre directeurs, présidents-directeurs-généraux contre présidents-directeurs-généraux. « Autant de combats dont ses tableaux donnent la tension physique, tandis qu'il les vit quotidiennement sur le plan moral. » C'est de Delacroix, mais aussi un peu de Loubet que Baudelaire écrit : « Un cratère de volcan entièrement caché par des bouquets de fleurs. » Loubet rime d'ailleurs avec Courbet qu'il importe de représenter comme un apôtre du réalisme brutal, tranchant avec l'académisme de son époque. Courbet n'y allait pas par quatre chemins : « Le beau est dans la nature », grognait-il. Et il ajoutait : « Le sens donné par la nature est supérieur à toutes les conventions de l'art. » Loubet est bien de cet avis, même s'il ne partage pas les dérives de Courbet, maoïste dans sa jeunesse, vers la bizarrerie des demoiselles des bords de la Seine et l'anarchisme de la Commune de Paris. Madame Loubet, elle, est plus réticente. Cette femme entièrement nue de Manet, au milieu de cadres habillés... Elle se demande furtivement si son mari accepterait que ce soit elle au milieu de ses collègues de bureau. Elle en doute. Elle est sûre du contraire. Ces peintres avaient leurs névroses. Quoi, Napoléon III a cravaché les *Baigneuses*? Quelle idée. Il suffit de changer de conversation, de tourner la page, voire même d'éviter l'édition, la reproduction ou la diffusion. On ne se choque pas, on ne cravache pas, on ne crie pas, on n'est pas en Islam, on ne censure même pas : on passe.

Classement publicitaire du dépliant pour la vente : 1. Félix Vallotton, *Le Ballon* (bambin à chapeau de paille, verdure, ne pas oublier que ce sont le plus souvent les femmes qui ouvrent le courrier à la maison). 2. *Les Glaneuses*, de Millet (sens de l'économie, force tranquille, Angélus au loin, stabilité paysanne, rappel des progrès accomplis par les femmes dans la société depuis cette époque). 3. *La Sieste* de Van Gogh, d'après Millet (le voilà enfin ce terrible Van Gogh, mais sans vertiges, pas encore malade). 4. *L'Enterrement à Ornans* de Courbet (il n'était pas si maoïste que ça, il respectait ce qui devait l'être, curé bien visible, souvenir d'enfance). 5. *Le Déjeuner sur l'herbe* de Manet (il faut bien une pincée d'érotisme équilibré, d'ailleurs le tableau ne manque pas d'humour, et juste à côté de l'enterrement il ne fait pas mauvaise figure).

Garantie scientifique : « Vous apprécierez les tons exacts d'œuvres éternelles. Chaque ouvrage est rigoureusement contrôlé par un spécialiste qui vérifie soigneusement les couleurs. »

Exact, éternelles, rigoureusement, soigneusement.

Hop, à la poste.

Madame Loubet, grande utilisatrice du catalogue des *Trois Suisses*, répond dans les huit jours pour une pendulette aussi artistiquement présentée.

Bravo, Nicole. Il n'y a pas de petits profits. On ne vend bien que ce qu'on aurait soi-même acheté.

Je vais m'occuper des conditions d'ancrage du *Player II* et du *Sea Sky*. Pas auprès des autorités officielles du port, bien sûr. Il y a un port dans le port, comme un aéroport dans l'aéroport, un bureau des taxis dans le bureau des taxis, une banque dans la banque. La société dans la société défend honorablement la société de la société. « Froissart? *Sicuro...* » De la difficulté ou de la facilité de pénétrer en Italie. J'aime l'exemple *Assimil* type qui permet, cette fois-ci, d'évoquer le mot de passe en montant l'escalier : « lasciando scivolare la mano sulla ringhiera ». Il y a les opérations *farfalla*, papillon; *impalcatura*, échafaudage; *tem-*

porale, orage; *fulmine*, foudre; *nubifragio*, ouragan. Nous sommes donc dans *ringhiera*, rampe. « Amsterdam? Larnaca? Trois jours? A côté l'un de l'autre? Aspetta un momento... Sicuro... » J'ai à faire passer quelque chose de la société à la société à travers la société. Watteau sur la rampe. Non, nous n'avons jamais été treize, mais quatre. Je te raconterai peut-être un jour un bout de cette histoire. « En laissant glisser la main sur la rampe. »

Luz, sur le lit :

– Je suis contente d'être là. Tu m'entends?

Je fais semblant de dormir.

Beauté rapide du mot *listen*, souvent, au début de ses phrases. Souvent aussi, pour dire *oui* en français, elle dit *si*.

Écoute, ce n'est pas par hasard si Watteau a des titres comme : « L'amour au théâtre français » et « L'amour au théâtre italien ». Les tableaux sont à Berlin. L'amour français est dans le jour, danse, femme principale offerte. L'amour italien dans la nuit, masque, flambeau, luth, ligne de front. C'est l'un ou l'autre, ou plutôt l'un avec l'autre, on saute d'une scène à l'autre en changeant de décor et de corps. Clairière, lisière. Curieusement *La Fête à Venise*, comme *Fêtes vénitiennes*, est plus proche de *L'Amour au théâtre français* : même danse centrale de fin d'après-midi, même jeu de pieds et de bras, même assemblée à la fois attentive et distraite. Bien entendu, on se moque d'être en Italie ou en France, sur la Lune, Mars, Jupiter, Uranus, Saturne ou Neptune, Watteau veut seulement marquer l'endroit où le Watteau peut se jouer à l'aise, Cythère, Venise, Paris. Ligne temporelle directe : Grèce, Italie, France. Guerre et amour, guerre dans l'amour. Du peu d'importance de mourir, avec explosion femmes et fleurs en surface.

« La rapidité avec laquelle ils entreprennent ce qu'ils ont décidé fait de ce peuple un cas unique : chaque fois qu'ils forment un dessein, l'espérance et la possession pour eux ne font qu'un. »

Thucydide dit aussi : « Les Athéniens, quand ils sont bons, le sont au plus haut degré. A eux seuls l'excellence vient de source, sans contrainte, par grâce divine. Elle est chez eux seuls vérité de fond et non laborieux placage. »

Faites bien la guerre et faites bien l'amour. Ne prenez pas l'un pour l'autre. Ne préférez pas l'une à l'autre. Gamme, leçon de musique. *Madrigali guerrieri e amorosi.*

Entrons.

Le roman instantané doit être aussi battant qu'une femme mariée l'est pour elle-même quand elle se prépare à retrouver gratuitement son amant. Plaisir de se préparer à mentir, se dérober, tromper. Pourquoi les romans sont-ils si ennuyeux? Par manque de cette sournoiserie technique. Voilà : elle est dans la salle de bains, elle se lave, se parfume, se maquille, s'habille. *Rouge à ongles.* Son mari ou sa mère (c'est la même chose) l'interroge à peine, il est pressé de sortir (il est peut-être l'amant sur une autre scène). Elle se regarde, s'inquiète, se sourit. Elle ajuste encore une fois ses bas, a-t-elle bien mis la culotte qu'il aime. Elle se défile sans bruit, elle a son plan. Geena est en train de faire ça, et demain Nicole, comme elles sont belles, soudain, comme l'espace les approuve. Le jour n'est pas plus noir que le fond de leur cœur. Les voilà comme des flèches sombres à l'attaque, le théâtre entier en gémit de gêne, de jalousie, de fureur. Les fesses d'une jeune femme mariée allant au bordel par pure perversité et satisfaction de simulation profonde, *sans même en avoir réellement envie*, sont ce qu'il y a de plus beau sous le soleil. Au lieu de la subir, elle va s'amuser de sa propre frigidité, se moquer de la crédulité contraire à ce sujet, increvable.

Il faut la voir dans la rue, en taxi ou en autobus, imaginer ses cuisses un peu serrées, son sourire, son élan mesuré, ses pensées de revanche, ses innommables calculs bien sordides, bien intéressés, intelligence d'innocence et de crime. Elle ouvre son sac, elle tend des billets, des pièces de monnaie, elle est partie pour se rembourser d'un ennui sans fin, elle s'attarde devant quelques vitrines, elle passe devant le café *Neptune* sur la place des fontaines (il y aura partout et toujours des places avec des fontaines), elle entre dans un magasin, elle a prévu d'acheter une eau de toilette et un peu de *linge* à son amant pour qu'il pense à elle, de temps en temps, dans l'intimité, comme ça, de façon inconsciente pendant la journée ou même s'il est avec une autre femme (ce qui l'irrite délicieusement). Bref, tout un halo de sensations aiguës et confuses dans l'air lumineux ou sous la pluie (la pluie impliquant que le premier geste, en entrant, sera d'aller déposer le parapluie dans la baignoire). L'amour au théâtre français? Voici la tour ultra-moderne où habite son mâle de détente : douzième étage, ascenseur, couloir, porte. Elle est à l'heure, son cœur bat. Il est là, derrière la porte. Action immédiate, bouche, doigts, soupirs, quel repos, *laissez-vous emporter, jamais la peinture n'a été si forte.* Elle pourra enfin parler pour parler, discourir-courir, cent mètres, deux cents mètres, ligne droite, haies, cinq mille ou dix mille mètres, dernier tournant, cloche, il est temps de rentrer, ligne d'arrivée, champagne, cigarettes. Encore un quart d'heure. « Tout va bien? – Oui, et vous? » Fête méritée, il vient de se passer quelque chose d'impardonnable. Quoi? Un tableau.

De l'autre côté, supposons que nous ayons affaire à un professionnel de la conscience de soi, mais vif, imaginatif, musique, couleurs, formes, paroles. La contemplation philosophique ne suffit pas, l'acte est nécessaire. Même s'il n'en a pas particulièrement envie, lui non plus, il le faut. Il se concentre sur l'attente. Il se dit que les murs ont des oreilles et qu'il doit être ces murs. Celle qui arrive devine-t-elle les cris très impressionnants que la précédente a poussés, avant-hier, exactement à la même place, sur le lit expérimental ou la moquette rituelle, allongée dans l'axe est-ouest alors qu'elle se retrouve, elle, dans la position nord-sud au moment de suffocation? Ne comparons pas les modulations ni les convulsions. Chaque toile est unique. La jalousie est une croyance aux reproductions. Notre peintre dans la réalité est une sorte de saint des mégapoles modernes, et s'il jouit, pour finir, c'est plutôt par compassion envers lui-même, rude époque, sévère ascèse. Tradition d'atelier conservée au cœur des buildings. Aussi improbable et secrète que la présence du corps tronçonné d'un truand coulé dans le béton d'un parking. Ou d'un artiste d'autrefois sur le motif, tournesols, nymphéas, meules, barque, montagne.

Rapports secrets de l'inspecteur Marais, vers 1750, qui plaisaient tellement à Louis XV : « M. de Blagny assure que la demoiselle Raye des ballets de l'Opéra est vraiment une excellente jouissance, et je crois que foi doit y être ajoutée car ledit sieur Blagny a assez d'usage pour en pouvoir décider. » Ou bien : « La demoiselle de Charme a demandé une augmentation de diamants. Jeune, jolie, très bonne musicienne, elle touche merveilleusement du clavecin. » Mademoiselle de Charme...

Quels sont les noms employés à l'époque pour le sexe féminin? *Brèche, bijou, fossette*. Et les verbes pour l'action? *Rondiner, saccader, piquer, ramoner, bourrer, foutre, tamponner, seringuer, cliqueter, enfiler, gamahucher, pédiquer, vervignoler.*

J'avoue un faible pour *vervignoler*.

Et aujourd'hui? Bon, allons-y : spasmer, trombonner, saillir, sauter, fixer, tringler, fourrer, mettre, coincer, entraver, grogner, beugler, opérer, expédier, ficeler, abrutir, finir, choper, bouffer, marquer, poinçonner, crocher, escroquer, cloîtrer, confesser, inspecter, communier, extrême-onctier, enterrer, sceller, baptiser, confirmer, basculer, bousculer, renverser, culbuter, noyer, prélever, ordonner, circoncire, euthanasier, adjuger, ablater, ouvrir, gober, saucer, déguster, dégeler, *criser*.

Et ainsi de suite.

Question de palette.

Cela ne doit pas nous faire oublier les dispositions coloniales peu connues de la même époque (tarifs du bourreau à la Martinique en 1740, *Code noir*) :

Pour pendre	*30 livres*
Pour rouer vif	*60 livres*
Pour brûler vif	*60 livres*
Pour pendre et brûler	*35 livres*
Pour couper le poignet	*2 livres*
Pour traîner et pendre un cadavre	*35 livres*
Pour donner la question extraordinaire	*15 livres*
Pour donner la question ordinaire seulement	*7 livres et 10 sols*
Pour amende honorable	*10 livres*
Pour couper le jarret et flétrir	*15 livres*
Pour fouetter	*5 livres*
Pour mettre le carcan	*3 livres*

Pour effigier	*10 livres*
Pour couper la langue	*6 livres*
Pour percer la langue	*5 livres*
Pour couper les oreilles	*5 livres*

Cela dit, le narrateur note sa position et regarde devant lui son rectangle magique :

1 2 3
4 5 6
7 8 9
* 0 #

Il peut appeler, s'il veut, New York, Londres, Paris, Tokyo, San Francisco, Rome, Amsterdam, Madrid, Francfort, Larnaca, Barcelone, Berlin, Gibraltar, Genève, Naples. On doit vendre bientôt la *Liseuse interrompant sa lecture*, de Corot; un *Retable de sainte Lucie*; *La Promenade* de Watteau (début à plus d'un million de dollars, mais sans doute au moins le double); *Portrait d'homme*, de Picasso (même estimation, hausse probable); *Le Train à Jeufosse* de Monet (plus de deux millions d'emblée); et enfin les *Détails de peintres de la Renaissance* de Warhol (reprise de la Vénus de Botticelli, moins de cent mille dollars). La vente Watteau est organisée par Sotheby's à Monaco, celle de Warhol à Paris, par le groupe Gersaint. Cependant, le narrateur attend un rendez-vous qui progresse à petits pas pressés sur l'avenue. Il a commencé son compte à rebours : une demi-heure, un quart d'heure, dix minutes, cinq minutes. Les trois dernières minutes n'ont pas de prix. Il peut la sentir traversant la cour, jupe longue ou étroite, fendue ou non, cela changera la position des mains dans trente secondes. Le temps s'engouffre de très loin dans l'espace. Il écoute cette vrille, annonce d'un sommeil profond. Il laisse la phrase qu'il est en train d'écrire pour là reprendre exactement au même endroit, après. Comme il est très cultivé, il se souvient que le poète Mallarmé, ami de Manet, a parlé quelque part d'« épouser la notion ». Il se dit, avec un petit rire exaspérant, qu'il est là, lui, pour baiser le concept. Ce n'est pas une formule en l'air, ou plutôt si : souffle, brise biblique.

Tu veux jouer, ma beauté? Apprendre à mentir pour dire la vérité, réfraction forcée dans ces choses? Tu veux être attendue de cette façon le soir? Quand les murs roses montent en même temps que le bleu s'efface? Bon, tu traverses le jardin, les arbres ont été taillés ce matin, branches et feuillages emportés dans les barques, trouées dans les allées, mise à nu des fleurs dans le rouge. Jupe noire, chemisier bleu clair à pois blancs, c'est bien. On se rencontre dans le couloir sur fond de sirènes des paquebots (le *Vistafjord*, par exemple). Ta bouche, pendant qu'ils glissent lentement, derrière leurs remorqueurs, vers la gare maritime. Théâtre italien et français. Tu n'as pas besoin d'apprendre à danser. En t'attendant, j'aurai vu, de loin, notre voisine se préparer dans sa salle de bains pleine de plantes vertes. Dieu sait vers quoi et vers qui elle va, celle-là aussi, bonne chance. Plus tard, glaces sur le ponton, près des barges d'eau douce alimentant les bateaux. Elles sont plates, vertes et grises, il y en a trois : *Risorta, Gigi* et *Liana*. Elles sont remplies à ras-bord pour le lendemain, enfoncées dans le clapotement régulier, elles tracent une ligne de démarcation entre les deux noirs : celui liquide, brillant et large de la Giudecca, et celui, sec et velouté, du ciel retourné. L'air, toujours lui, est comme une oreille de chat, ou une paupière rabattue, mince. On marche sous les lauriers et les chèvrefeuilles, bien dans leur odeur, après le *sotoportego*, sur la gauche. Encore le quai : là sera mouillé le *Player*, et là le *Sea Sky*. Les mouettes flotteront près d'eux, le matin, dans l'attente. Tu veux aller jusqu'à la Salute? Si tard? Tu ne te lasses pas des grands escaliers polis? Seize marches sur cinq côtés? Couvertes de grains de riz les jours de mariage sous les anges? Non, rentrons. Encore deux ou trois appels à donner.

Le 30 juin 1939, les musées allemands, sous la pression personnelle d'Hitler, mettent en vente, à Lucerne, cent vingt-cinq peintures et sculptures contemporaines considérées comme « dégénérées ». Parmi elles, des Picasso, des Van Gogh, des Gauguin, des Matisse. Un portrait de Van Gogh (dégénéré notoire avant de devenir – mais peut-être selon la même logique – le christ du dollar) monte, en francs suisses, de 145 à 175 000 et est attribué au Dr Frankfurter de l'*Art Review*. Les *Deux arlequins* de Picasso vont de 52 000 à 80 000, mais personne ne veut de la *Buveuse d'absinthe* ni d'une *Tête de femme*. Matisse arrive péniblement à 8 000 francs. Multipliez tout cela aujourd'hui au moins par deux cents : l'Allemagne essaye maintenant de récupérer certaines toiles, mais les musées allemands sont dépassés par la surenchère japonaise.

Au fait, il y a bien eu au vingtième siècle une deuxième guerre mondiale dont les grands perdants ont été les Allemands et les Japonais? Ah oui? Vraiment? C'est drôle.

Toujours selon la logique, le célèbre collectionneur allemand Ludwig commande ces temps-ci son buste à Arno Breker, le sculpteur préféré d'Hitler, et l'expose à l'entrée de son musée de Cologne où figurent la plupart des vedettes du pop art américain. Devinette : de quelle logique exacte s'agit-il? Si vous ne trouvez pas, ou bien si vous pensez qu'il n'y a là que du hasard, ne vous en faites pas, ce n'est pas grave.

Hitler, comme on sait, était au départ un peintre sensible et délicat d'aquarelles académiques. Le 18 juillet 1937, à Munich, il dit voir dans l'art dégénéré et dépravé « des estropiés et crétins mal formés, des femmes repoussantes, des hommes qui sont plus proches de la bête que de l'homme ». Les « bégayeurs de l'art préhistorique » voient des « pelouses bleues, des ciels verts, des nuages soufres ». Conclusion : « Il n'y a en fait que deux possibilités. Ou bien ces soi-disant artistes voient effectivement les choses ainsi et croient donc à ce qu'ils représentent, et alors il faudra examiner leurs yeux pour savoir si leurs troubles sont dus à des causes mécaniques, ce qui serait très regrettable pour eux, ou à l'hérédité, auquel cas le ministre de l'Intérieur du Reich aurait à s'occuper de la question au moins pour empêcher une transmission génétique plus large de ces troubles cruels. Ou bien ils ne croient pas eux-mêmes à la réalité de telles impressions mais s'efforcent pour d'autres raisons d'incommoder la nation avec ces absurdités, et alors un tel procédé tombe sous le coup du droit criminel. »

Il paraît qu'à l'un de ses conseillers plus modérés qui émettait l'idée que les Impressionnistes devaient peut-être être regardés « au second degré », Hitler répondit en hurlant : « Vous ne pouvez pas m'empêcher de les regarder au premier degré ! » Ledit conseiller fut d'ailleurs arrêté quelques semaines après et envoyé, tout à fait au premier degré, et bien qu'il ne fût pas juif, à Auschwitz.

On ne sera jamais trop exigeant sur la question des *degrés*.

Gérôme (à propos des Impressionnistes, toujours eux) : « Nous sommes dans un siècle de déchéance et d'imbécillité. Pour que l'État ait accepté de pareilles ordures, il faut une bien grande flétrissure morale. »

J'épargne au lecteur les tonnes de littérature communiste stigmatisant l'art dégénéré, dépravé, décadent, schizoïde, antisocial, pervers, parasitaire et pornographique de l'art bourgeois occidental. Aujourd'hui Allah, demain autre chose, après-demain autre chose encore. Et maintenant comment, après de telles *recommandations*, et autant de morts, ne pas investir frénétiquement pour mieux l'écraser (puisque la répression ne sert visiblement à rien) dans *ça*?

– Dites, Mozart, qui est particulièrement *mal vu* en ce moment?

– Personne, monsieur.

– Vous êtes sûre? Pas un artiste traîné dans la boue? Traité d'ordure? Scandaleusement sous-estimé?

– Cela ne se passe plus ainsi, monsieur.

– Faites attention quand même. Je veux être personnellement informé des *très mauvaises réputations*. J'y tiens. Pas celles qui sont décidées à l'avance par notre département Marges, les *vraiment* mauvaises. Trouvez-les.

– J'essaierai, monsieur.

Ça?

Luz : « Bon, et maintenant *La Toilette intime.* »

On y vient, on y vient... J'ai dû d'abord m'occuper du *quatrième*. Ah voilà, je parle quand même un peu du dernier carré en train de devenir triangle. Intermède « mort à Venise »... Guillermo est arrivé épuisé de Barcelone, demi-mort, pour finir ici. Je reviens de l'hôpital, je lui ai tenu la main pendant une heure, il m'a à peine reconnu, j'ai réussi à éviter l'enquête. On savait plus ou moins et, comme d'habitude, on ne savait rien. Certes, à New York, cet hiver, il m'avait semblé à bout de souffle. On marchait sous la neige dans Greenwich Avenue, dans le Village détruit, vieille histoire, fin de la ville basse, docks déserts. Bon, je ferai réexpédier le corps là-bas, dans son village du Pays Basque. Restent donc un Italien et deux Français, dont moi.

« Il est difficile de trouver les mots justes quand la réalité même des faits n'est pas toujours admise sans peine. L'auditeur bien informé et favorablement prévenu risque, étant donné ce qu'il attend et ce qu'il sait, d'être déçu par ce qu'il entend. Et celui qui n'est pas au courant pourrait bien, par jalousie, soupçonner quelque exagération, là où on lui parle d'actions qui dépassent ses possibilités. L'éloge des actions d'autrui n'est supportable que dans la mesure où l'on se croit soi-même capable de faire ce qu'on entend louer. Une action dépasse-t-elle nos forces, dès lors l'envie engendre le scepticisme. »

On avait évoqué le Warhol d'autrefois, de la technique qui consiste à être là pour n'être pas là, travail sans effort pour décoller la rétine piégée d'avec elle-même, autoconscience et présence pour rien, à chaque instant. Acte et usage gratuit, sans rien faire : blasphème qui paraîtrait énorme aujourd'hui. On parlait en espagnol pour rire, il respirait vraiment mal. « La force d'adhérence aux images veut toujours tuer l'expérience imagée de la non-image. » « Dans une époque de narcissisme massif et organisé, tout est dans la déconnection et l'interruption. » Bien entendu, Guillermo pensait que W. avait été assassiné à l'hôpital, sans traces. « Ça se fait tous les jours. – Mais qui l'aurait tué ? – *Personne.* »

Death is so nothing.

Voilà, il meurt lui aussi et on n'aura pas eu le temps de boire à Venise. Je pense à un auteur qu'il aimait et qui, d'ailleurs, était ici, il y a vingt ans, pour assister à une assemblée clandestine subversive : « Prendre d'instant en instant le temps de se sentir vivre, c'est se trouver libéré du droit et du devoir conjoints d'obéir et de commander. » « La raison péremptoire du chiffre d'affaires a le pouvoir de tout privilégier à l'exception de la gratuité. » « Un désir exaucé en engendre dix autres avec la promesse d'un même bonheur. C'est pourquoi l'homme heureux ne découvre en lui aucune raison de souhaiter la mort ou le châtiment de quiconque. »

Balzac a un peu forcé la note avec ses *Treize*, mais enfin c'était aussi « le bonheur continu d'avoir un secret de haine en face des hommes, d'être toujours armé contre eux, et de pouvoir se retirer en soi avec une idée de plus que n'en avaient les gens les plus remarquables ». Qu'ont pensé des lignes suivantes ses dédicataires, Liszt, Delacroix, Berlioz (exécution du *Requiem* le 5 décembre 1837 aux Invalides)? « Les pieds dans tous les salons, les mains dans tous les coffres-forts, les coudes dans la rue, leurs têtes sur tous les oreillers, et, sans scrupule, faisant tout servir à leur fantaisie. Aucun chef ne les commanda, personne ne put s'arroger le pouvoir, seulement la passion la plus vive, la circonstance la plus exigeante passait la première... »

Un objet dont Guillermo était très fier, au point de ne jamais s'en séparer (il était dans son sac de voyage, à l'hôpital), est l'édition originale des *Fleurs du Mal*, Paris, Poulet-Malassis et de Broise, 4 rue de Buci, 1857. *Concordiae Fructus*. Avec, sur la couverture grise, l'exergue de Théodore Agrippa d'Aubigné, *Les Tragiques*, Livre II :

« Mais le vice n'a point pour mère la science,
Et la vertu n'est pas fille de l'ignorance. »

Tiens, Luzita, un cadeau inattendu à Venise. Ouvre-le de temps en temps, plus tard, là où tu seras, en rentrant de tes ordinateurs planétaires. Ne le donne jamais à personne, et si tu ne le vends pas toi-même, brûle-le.

Par hasard, ou sans hasard, le torse féminin réputé obscène de Courbet, dit *L'Origine du monde*, était exposé, au même moment, à Brooklyn. Guillermo et moi nous savions d'où il venait et où il allait. Il fait partie des « opérations suspendues » qui ont été, à plusieurs reprises, sur le point d'aboutir. Le voyage quelque part dans le Golfe a longtemps été possible : Allah est grand et miséricordieux, mais surtout terriblement curieux et libidineux. Après tout, ce morceau de viande sublime, si bizarrement *cadré*; ces seins, ce ventre et ce pubis roux, délectables – perle des collectionneurs spéciaux, joyau longtemps dissimulé de l'intimité d'un psychanalyste célèbre –, ce tableau-choc en général présenté aux amateurs voilé par un autre tableau insignifiant coulissant, ce chef-d'œuvre a bien été au départ une commande privée de l'Islam au peintre de la Commune, au démolisseur de la colonne Vendôme exilé en Suisse, puisqu'il s'agit de l'anatomie d'une favorite d'un Bey. Portrait de houri paradisiaque. Non, ne reproduisez pas cette image, vous êtes fou. Un des grands pornos de tous les temps. Quelle agitation, autour, des enfants adultes qui ne veulent rien voir puisque Dieu, c'est connu, ayant regardé de ce côté-là, est devenu aveugle. Je donnerais, moi, deux mille abstractions hyper-cotées pour ce con, une des premières vraies sondes posées sur Vénus. Je serais curieux de voir ses effets dans une vente télévisée publique, et s'il dépasserait *Les Iris*, beaucoup plus allusifs mais tout aussi explicites. « Vous êtes vraiment obsédé. – Et vous, donc. » Ne t'impatiente pas, Luz, je prépare simplement les fonds dignes de *La Toilette intime* et de *La Fête à*

Venise. Courbet à Brooklyn! Bonjour! L'humanité est étrange avec sa peinture, on dirait que ça lui évoque, de façon automatique, ce qui se passe au lit de pas dit. Non, non, nous ne dormirons plus, nous ne rêverons plus, et s'il le faut nous ne vivrons plus. Ne sommes-nous pas enfin morts puisque nous pouvons tout nous payer? Mettez-vous bien ça dans le crâne : tout le monde reste fixe, *on ne meurt plus*.

Le hasard, donc, ou le non-hasard, faisait que j'avais avec moi *Le Livre des Stations* de Niffani, un mystique arabe de la grande époque. Le nom de cet auteur veut dire : fugace, fugitif; celui qui s'éclipse ou qui se disperse. J'en conseille la lecture à New York, en hiver, dans un trente-troisième étage, après une longue course en taxi et quelques tractations difficiles. « A ce qui est silencieux en toi, impose silence, et la partie éloquente parlera nécessairement. » Ou encore : « Celui qui connaît le voile surplombe le dévoilement. » Ou encore : « Ma vision ne commande pas et n'interdit pas. Mon absence ordonne et prescrit. » A moins qu'on n'aille jusqu'à : « J'informe sur moi qui je veux informer », ce qui ne serait pas une mauvaise définition de la littérature. Niffani devant le Courbet? « Ton corps après la mort occupe la même place que ton cœur avant la mort. » Toujours les *degrés*.

Ah, si ce Torse pouvait écrire ses Mémoires! Dire tout ce qu'il a entendu à son sujet ou à d'autres sujets comme s'il pouvait y avoir d'autres sujets! Raconter la vie de ses différents possesseurs et de leurs amis, leurs occupations, leurs manies, leurs fantasmes préférés, les exclamations et l'odeur du cigare, le soir, après dîner, quand on le *révélait* enfin comme le fond des choses! Certains pensent qu'il était en Allemagne en 1936... Hitler aurait demandé à Goering de le faire activement rechercher... Sa tête, si j'ose dire, aurait été mise à prix longtemps, quelque part entre Jérusalem et La Mecque... Notre psychanalyste qui, selon certaines sources, aurait lui-même examiné Artaud à Sainte-Anne (« prétentions littéraires ») aurait dû à ce trésor caché quelques-uns de ses pouvoirs chamaniques... Mais que n'invente-t-on pas dans les légendes? Que ne se passe-t-il pas dans les sanctuaires, autour du bruit, peu clair, des oracles et des prophéties?

Où te trouver, toi, dans Watteau? Mais un peu partout. De dos, blanche et svelte, dans le grand pré au bord du lac aux statues, dans *Les Deux Cousines*, à Paris. A gauche, légèrement renversée jaune et blanche dans *La Proposition embarrassante*, à Leningrad. A gauche encore, verte et blonde, avec guitare, dans *Les Charmes de la vie*, à Londres. Accroupie, décolletée en bleu, robe rose, dans la clairière à trouée de nacre de *La Déclaration attendue*, à Angers. Pas difficile de te deviner non plus dans *La Récréation italienne*, à Berlin ni dans *Les Plaisirs du bal*, à Londres encore. Et, en gloire, dans l'œuf de *L'Automne*, au Louvre, serpette en main, dégoulinante de pêches et de raisins, bras gauche finissant sur la citrouille terrestre, jambes nues aux genoux offerts. Tu peux être aussi dans *L'Été* de Washington, si tu veux. Tu te lèves sans bruit la nuit, tu sors des tableaux, tu voles jusqu'ici pour attendre une autre de tes apparitions dans *La Fête à Venise* en train de flotter sur l'eau, robe rouge, mouvement chuchoté sur fond d'escalier monumental. Si tu préfères contempler ton sommeil, bras gauche tombant du lit, jambe droite repliée, cauchemar odieux qui ne semble pas t'inquiéter, au contraire (ce mâle décidé barbu et bronzé en train de te découvrir et de t'envelopper par-derrière), tu as *Nymphe et Satyre* (encore appelé, avec la pruderie habituelle, *Jupiter et Antiope*), ellipse parfaite. Tu descendras bien de cheval, à l'occasion, dans *Le Rendez-vous de chasse*.

Que faisons-nous *là*? Eh bien, au lieu de se lamenter, comme la plupart, sur le fait que la vie est un songe ou que nous sommes faits de la même étoffe que les rêves, quelques explorateurs ont entrepris d'entrer dans les rêves afin de les diriger. Impossible, leur répète-t-on tous les jours. Mais les chiens aboient, le pèlerinage pour Cythère passe. Impossible n'est pas Watteau. Regarde par la fenêtre : lauriers et jardin pour rien. Tournez, estimations; crépitez, télex; intriguez, téléphones et fax : on nous accroche, on nous décroche, on nous sépare et on nous rapproche, on nous vend et on nous revend, on nous bloque un siècle ou deux, on nous vole et on nous revole, on nous copie et nous falsifie, on nous enferme, on nous détériore, on nous réhabilite et on nous oublie, on nous ressort, on multiplie par cent ou mille *ce qu'ils en pensent*, mais ils n'en pensent rien puisqu'ils n'étaient pas là au moment où c'était si bien et où, précisément, ça ne valait rien. Toujours exclus des tableaux, les pauvres, on comprend qu'ils aient mal. D'où la légende douloureuse, fatale erreur. La vie, longue souffrance... Sourd gémissement... Bruit et fureur... Hélas, mieux vaudrait n'être jamais né... Toute chose a son déclin... Feuilles emportées... Jeunesse asservie... Vieillesse ennemie... Tout le monde l'a dit, tout le monde le redira, pour voir... Pour voir surtout si l'autre, là, devant son chevalet, va enfin se laisser convaincre par cet océan de bon sens... Tremble, Watteau! Dérape! Renonce! Tu vas mourir! (En effet.) Arrête de nous torturer avec tes paradis embusqués! N'entends-tu pas la grande clameur humaine? Es-tu donc insensible et superficiel à ce point? Le sens de l'histoire, déjà, condamnait ta frivolité, la fin de l'histoire l'exécute. Tu estimes, contre toute l'expérience accumulée, qu'un homme peut être appelé heureux avant d'avoir vu la fin de ses jours? Eh bien, nous, nous dirons que tu étais angoissé, timide, instable, sombre, nerveux, mélancolique. Tu vas mourir! (bis). D'ailleurs, tes paysages enchantés sont un leurre : il y a au moins deux escargots malades dans les bosquets, trois moineaux poitrinaires dans les arbres. Tes personnages dansent sur un volcan, le vide les ronge, ils ont un cancer généralisé quand ce n'est pas une paralysie générale. Ils se sentent déjà abolis comme des bibelots d'inanité sonore. Tu es toi-même démodé, les nouvelles générations t'ont depuis longtemps dépassé, les nouveaux petits modèles ne font plus attention à toi, les jeunes filles t'ignorent, tu es vieux, tu vas mourir (mais oui, mais oui). Tu ne veux pas te suicider? Te couper l'oreille? Juste un peu? Non? Eh bien, notre campagne de silence dans les médias te balaiera.

Tableau nocturne : Pyramide du Louvre. Tout dort. Watteau, sur la pointe des pieds, se dirige vers le bureau-appartement aux meubles élégants de madame Nicole Vuillaud (alias Dürer). Il entre avec sa clé, se jette dans un fauteuil, allonge carrément ses jambes sur le bureau Régence, se fait servir un whisky par la délicieuse conservatrice en déshabillé bleu clair, puis se laisse possessivement aimer comme un original de ses œuvres.

Je te lis le point de vue courant : « Watteau, chroniqueur de son temps, ne voit la vie qu'à travers l'art. C'est un metteur en scène qui, après avoir fait les repérages sur son carnet de dessins, orchestre des ensembles de décors, de lumières, d'emblèmes et de personnages qui tous empruntent plus ou moins à un art, Architecture et Sculpture, Théâtre et Opéra, Musique et Danse. Ce n'est pas la vie réelle que Watteau reproduit, c'est une transposition des arts de son temps qu'il nous propose. »

Watteau « chroniqueur de son temps », lui, le romancier

intégral? La « vie réelle » n'est pas la même que celle de « l'art »? Elle est plus réelle? Il nous « propose »? Mais il ne propose rien, Watteau, il dispose. Quoi? L'image dans le tapis, la lettre volée, la trame de gris-argenté et de rose-paille drapé d'argent, le mercure dont le secret semble perdu, la clé de l'embarquement dans les plis et replis, le doigt sur les lèvres. La vie n'est un art que dans la réunion des arts? Sans quoi elle n'est pas tout à fait la vie? Élémentaire, et voilà d'ailleurs le mystère qui n'en finira pas d'intriguer. L'aiguille financière sera de plus en plus aimantée par cette seule et unique énigme. Le moindre acte de vraie vie libre, s'il est encore possible, sera la fortune des fortunes, et c'est pourquoi il ne faudra pas s'étonner si l'anesthésie règne, anticipe, veille. Quand Carpeaux réalise sa fontaine de Valenciennes, il donne à Watteau les attributs du Sanguin tels qu'on les trouve dans *L'Iconologie par figures* de Gravelot et Cochin, Paris, 1791. Le Sanguin est un jeune homme au visage riant et au teint vermeil. Les instruments de musique et les autres signes de la gaieté qu'on voit près de lui montrent son goût pour des exercices agréables, de même que le penchant du Sanguin pour Bacchus et les Plaisirs de l'Amour sont indiqués par une corbeille de raisins et les colombes de Vénus. Ce livre essentiel n'a été réédité à Genève qu'en 1972. Tous les espoirs sont permis.

La ville vient de passer du rose profond au noir, le nuage blanc que je regardais tout à l'heure par la porte-fenêtre du salon a été escamoté par la nuit partout coulissante. Luz vient de se changer pour dîner, le quartier est silencieux, à peine quelques voix, les mouettes, les claques de l'eau sur la pierre. Je projette encore une fois les détails de droite de *La Fête* sur lesquels Geena a particulièrement insisté à New York. « Fais bien attention *là* et *là*. » L'air fraîchit, je commence à manquer mes mots, j'éteins la lampe, j'arrête.

Mesdames et Messieurs : la Cour. Voilà un arrêt qui va faire du bruit.

Tableau très évident et très hermétique. Tribunal de peinture.

Pâris, traitant le sujet des sujets. *Le Jugement de Pâris.* Quelle est la plus belle des Trois ? Pourquoi ? Ce juré a-t-il du jugement ? Comment ?

On se croirait presque à côté d'une roulotte de bohémiens, bonne aventure sur le bord de la route. Il y a un différend entre les trois actrices féminines de la troupe, la pomme du paradis se joue à l'envers au milieu du temps. Tous les médias sont là en la personne d'Hermès-Mercure penché pour interviewer le jury unique. Il faut imaginer le tableau pour vous seul ou avec la personne de votre choix (ou qui vous a choisi, ce qui revient au même). Regarde la canne, à gauche, en diagonale ; le caducée et ses ailes, les ailes encore sur la tête d'Hermès. Athéna-Minerve se retire, furieuse, à droite, avec sa lance et son bouclier à tête de Méduse. Héra-Junon, devenue on ne sait comment une nymphe complice, s'envole en haut, moins sévère (elle s'y attendait ou, finalement, préfère que ce soit celle-là plutôt que l'autre). L'Amour, enfin, soulève le linge d'Aphrodite-Vénus descendue de sa coquille restée en l'air, et n'offrant au regard extérieur, comme il se doit, que son dos. Le petit Amour inspecte encore de l'autre côté, celui que nous ne voyons pas, l'objet du litige. Pâris, lui, a vu : il vote. Il est troublé mais catégorique, rouge, enfoncé en lui-même, le blanc des yeux relevé et délégué à la pomme-planète qu'il tend de son bras droit, un peu effrayé, mais sûr de lui, style : « Aucun problème, on y va. » Je souligne que ce peintre insulte ainsi personnellement Athéna, déesse de la Pensée, des Arts, des Sciences et de l'Industrie, pour donner le prix à la Volupté (Aphrodite) sous la protection du Messager des dieux, patron des marchands et des voleurs (Hermès). Le chien assoupi par terre, lui, laisse se dérouler cette histoire divino-humaine qui ne le concerne pas. « Pâris, vos impressions? – Plus tard, plus tard. – Vous vous rendez compte que vous déclenchez ainsi la guerre des guerres? – Aucun commentaire pour l'instant. »

– Maintenant, suis bien le linge rouge qui pagne Pâris et laisse à découvert son nombril mortel : pour finir, tu vois quoi?

– Où?

– Là. *Là.*

– Il bande?

– Comment dites-vous, chère enfant?

– Il est en érection?

– Sans aucun doute, mais chut. Tout le bazar est construit pour cette allusion à peine perceptible que nous sommes donc les premiers, ah, ah, à faire remarquer. Linge blanc soulevé pour Vénus, linge rouge à peine retenu par la suggestion proéminente pour le jeune mortel, il tend, il est tendu, il élit, il est élu, ascensions inverses, paon replié, gifle à Terreur-Méduse, traversée du bouclier-miroir, coquille expliquée, rien à constater, ouverture, cause, effet. C'est pour cela qu'on va beaucoup mourir, rien d'autre. Ou je rêve, ou c'est bien le seul tableau qui n'en finit pas de *tourner*. Impossible de ne pas l'éprouver en trois dimensions, moulé, modelé, bombé, renversé. Le sexe d'Aphrodite-Vénus n'est pas là, bien entendu, de l'autre côté des fesses, mais il s'agit justement du *tableau tout entier*. Avec sa conclusion, son circuit de regards, son raisonnement rapide en couleurs, son geste, sa concentration, son intense excitation consommée-dissipée. Le sens est en somme : quelles que soient l'époque ou les situations, le résultat de l'opération soigneusement montée sera le même. Vous ne déclencherez pas une guerre, mais vous saurez pourquoi il y en a forcément une, de fond, et pourquoi elle n'a aucun intérêt sauf le récit que l'on peut en faire. Certitude totale. Jeu de quilles. En plein dans le mille. Prix de beauté? Adjugé!

Imagine la vente : 14 h à Paris, 8 h à New York, 22 h à Tokyo. Vidéo en direct, Vénus aux enchères à travers les fuseaux horaires. Mobilisation générale : banques, chaînes de grands magasins, électronique, pétrole, bâtiment, assurances, États, tout le monde réuni pour l'offensive finale. Banzaï! Le marteau suspendu du commissaire-priseur Pâris en forme de pomme d'or. L'Olympe des services secrets à l'affût. Ach, Pâris! *Avec son accent circonflexe.* Et l'on dit que la planète s'ennuie, sans nouvelles valeurs, sans idéologies, sans intellectuels de dimension universelle? Eh bien, soit. Tout nouveau candidat à la promulgation ou à l'incarnation de la Valeur – philosophe, savant, homme politique, journaliste, militaire, évêque, pasteur, rabbin, imâm, lama, économiste, gangster – devra être interrogé *in situ* devant *Le Jugement de Pâris* d'Antoine Watteau. Que discernez-vous? Qu'imaginez-vous? Qu'en pensez-vous? Émission permanente, retransmission mondiale par satellite, vingt-quatre heures sur vingt-quatre. On s'amuserait.

– Mais ce n'est que de la peinture?

– De la *peinture*, misérable? De la *peinture*? La finance terrestre te crie qu'il s'agit d'autre chose qui la défie et tu dis *peinture*? *Peinture* ce détail rouge en plein Paris? Plus important que la ville entière, ses habitants, son trafic, ses fumées, ses bruits? Cet autoportrait chinois, cet attentat central, ce bulletin de victoire cosmique : de la *peinture*?

– Qu'est-ce qu'en aurait pensé Freud?

– Eh bien, il aurait écrit *Un souvenir d'enfance d'Antoine*

Watteau, je suppose. Ou plutôt, il aurait renoncé. Michel-Ange ou Vinci peut-être, mais pas le dix-huitième français. Cela dit, tu peux ajouter quelques psychanalystes des différentes sectes à la liste des interviewés de l'émission *Pâris en direct*. Médecins de Molière, un peu de latin allemand détendrait l'atmosphère, *Lustprinzip* par exemple. Ils répéteraient ça en cadence : *Lustprinzip! Lustprinzip!* Principe de plaisir! Pas de réalité! Fétichisme! Ou encore : Archétype! Bi-sexualité yin-yang! Transmutation alchimique! Une reproduction suffirait, d'ailleurs. *La Sexualité de Watteau : millième épisode.* Selon vous, Docteur, Madame Watteau mère était exhibitionniste? Séduction précoce de son petit garçon? Elle lui embrassait trop tendrement la pomme d'Adam? Elle laissait trop facilement la porte de sa salle de bains ouverte? Une mère aurait pu être perverse à ce point? Elle a eu deux sœurs jalouses moins jolies qu'elle? Qui elles-mêmes ont tenté de séduire le petit Watteau au fond du jardin? Monsieur Watteau père était rarement là le matin? Les mœurs étaient très relâchées dans ce pays qui a toujours été la honte de l'Europe et du monde? Watteau éjaculateur précoce? Énurésique? Débile? Impuissant? Homosexuel? Dépressif compensé? Travesti notoire? Immature? Phobique? Lesbien? Sondage sur minitel. Question : Watteau a-t-il voulu, par son tableau, surmonter un grave traumatisme infantile, par exemple la découverte de l'absence du pénis chez sa petite sœur? Réponses : Oui, 72 %; Non, 10 %; Sans opinion, 18 %. Trouvez-vous absurde, ou scandaleux, le prix qu'atteignent aujourd'hui ses œuvres? Oui, 81 %; Non, 5 %; Sans opinion, 14 %. Ses toiles évoquent-elles pour vous une expérience personnelle? Oui, 60 %; Non, 20 %; Sans opinion, 20 %. Les Japonais sont-ils fous? Oui, 10 %; Non, 65 %; Sans opinion, 25 %. Selon vous, Watteau était-il un peintre majeur ou mineur? Majeur, 10 %; Mineur, 80 %;

Sans opinion, 10 %. C'était un peintre galant ou aphrodisiaque? Galant, 90 %; Aphrodisiaque, 1 %; Sans opinion, 9 %. Quel est le détail du *Jugement de Pâris* qui vous a le plus frappé : la terrible figure de méduse du bouclier d'Athéna ou l'attitude de Pâris lui-même en face d'Aphrodite? Terrible méduse, 85 %; Attitude Pâris, 10 %; Sans opinion, 5 %. Ce tableau a-t-il à vos yeux une signification religieuse ou métaphysique? Oui, 0,2 %; Non, 99 %; Sans opinion, 0,8 %.

La Toilette intime ne porte-t-elle pas atteinte à la dignité de la femme? Ne fait-elle pas l'éloge de son asservissement? La question mérite d'être posée, comme pour un grand nombre d'œuvres anciennes et, dans une moindre mesure, heureusement, modernes. Notre Commission s'est à nouveau réunie, consciente de la tâche immense qui est devant elle : la constitution d'un Index des mille et trois productions littéraires, plastiques et musicales, suspectes. Il sera remis bientôt à la presse et au Parlement. Contrairement à ce que certains ont pu murmurer, cet Index ne prend pas la suite de celui du Vatican, d'ailleurs tombé en désuétude ainsi que les préjugés d'un autre âge qui l'animaient. Il s'agit ici d'un point de vue scientifique et démocratique, son but est d'approfondir les libertés collectives et individuelles, et surtout le droit inaliénable qu'ont désormais les femmes de contrôler leurs propres représentations dans le présent et l'avenir, donc dans le passé. Le mal doit être extirpé à la racine, et dans ce cas, hélas, que de racines. Privilèges, préjugés, exploitations de tous ordres, luxe arrogant, calme trompeur, odieuse volupté, désirs malsains, oisiveté paternelle du vice, expositions gratuites d'intimités, nombrilisme affligeant d'artistes plus soucieux de flatter des instincts déviants que d'offrir à l'humanité des exemples de raison complexe et de générosité justifiée. En soulevant le problème de Watteau, la Commission et sa rapporteuse, Valérie Norpois, savent qu'elles vont au-devant de vives résistances qui montreront, mieux que de vains débats, la profondeur d'un mal encore trop répandu. Il est établi que Watteau a toujours été défendu par des réactionnaires. C'est Théophile Gautier et ses exécrables *Variations sur le carnaval de Venise*, ce sont les Frères Goncourt, ces antisémites forcenés, ces misogynes tristement célèbres, qui ont osé écrire : « Rien ne ressemble à l'amour comme la critique picturale : elle a presque autant d'imagination à propos d'une toile que l'amour à propos d'une femme. » La femme comparée à une toile ! Jolis messieurs. Oui, Maxime Du Camp avait raison, en 1855, de parler des « instincts dépravés de cette société pourrie », et Delécluze, dès 1847, d'accuser les artistes de son temps de ressusciter « la pornographie du siècle précédent ». Au vingtième siècle, au vingt et unième comme au dix-neuvième, et il en sera toujours ainsi dans les siècles des siècles, le purulent exemple du dix-huitième doit être sans cesse analysé, décomposé, désinfecté, suffoqué, châtié, préchâtré. Ces mignardises sont le plus dangereux poison visant à paralyser une démocratisation réelle. Le goût du bonheur à tout prix – mensonger, puisque nous savons qu'il est le masque d'une faillite intérieure, d'une fêlure génétique, juste punition d'un égoïsme froid incapable de communication authentique – ouvre la voie à tous les excès sociaux, à la rapacité des grands propriétaires, au calcul cynique de l'argent sur la femme-objet. Ici, Valérie Norpois-Solanas fait remarquer, à juste titre, que nous ne devons pas être impressionnées par l'apparente convergence de certaines de nos revendications avec celle de groupes ou partis fascistes encore en action, du communisme moribond ou de l'Intégrisme religieux en pleine expansion. Peu importe que les esprits malveillants pensent que nous faisons aussi le jeu objectif du marché des images comme le fait, selon eux, toute prise de position morale. Notre but, bien sûr, est tout différent, même si nous sommes incapables de le définir autrement que par la négative. Voilà pourquoi nous demandons, entre autres mesures, l'interdiction pure et simple de toute reproduction de *La Toilette intime* d'Antoine Watteau, bien plus nocive, nous aurons l'occasion de le démontrer, qu'une grossière représentation obscène.

Fin de matinée, douceur, léger gris, je rentre des formalités pour le rapatriement du corps de Guillermo, je bois un cognac à sa mémoire sur le ponton du café où nous aimions venir autrefois en face de San Giorgio, *La Ligne d'ombre*. Il l'aurait fait pour moi, je suppose.

D'abord, ce lit inouï, mousseux et interminable, fond vert et noir décoré de la coquille, du carquois et des flèches, baignoire de crème ou de lait. Les draps et l'ample chemise de nuit se confondent, c'est une huître agrandie, une oreille géante, un gros clam dardant sa chair nue, longue et solide bourgeoise assise sur le bord de son bateau de sommeil. Elle pose le pied droit par terre, jambe gauche repliée sous jambe droite. La main gauche fait sortir le sein gauche, la droite accentue le nombril. Son regard baissé, son air recueilli vont droit à son sexe. En face d'elle, en contrebas, grave, gaie, satisfaite, la religieuse servante, très habillée blanc et noir, jupe rouge, présente à genoux un plat de porcelaine et une éponge un peu humide de la taille d'un petit pain. L'attention des deux femmes est puissamment concentrée sur l'entre-jambe de la première comme s'il appartenait à une troisième. Une délicate volute de linge plus transparent, placée où il faut, permet juste d'esquisser...

– Non?

– Si. Cette présence est soulignée par les chaussures vides, sur le sol, dont l'une est perpendiculaire au pied nu posé. Que va-t-il se passer? Elles sont vraiment comme de part et d'autre d'un autel, le rite est au nettoyage. Quelles dévotes en train de se rincer l'œil avec componction! Quelle est la séquence d'avant? Et celle d'avant? Et celle d'après? Et celle d'encore après? Watteau vous force toujours à ce genre de question, il rassemble les éléments juste au moment où ils peuvent imploser en silence. Le tableau pourrait aussi bien s'appeler *Le Triomphe du Saint Sacrement* (toute la composition de Raphaël aboutissant au hublot de l'ostensoir eucharistique). La présence réelle, c'est l'absence en acte. Déluge de soie et de toile, adoration des bergères, longues jambes écartées de girl, *Folies-Bergère* ou *Crazy Horse*. Elles méditent ainsi depuis 270 ans et cela va durer. « Je regarde et j'ai toujours regardé mes ouvrages, dit Stendhal, comme des billets de loterie. » J'achète tous les billets de loterie de *La Toilette intime*.

– Où est le tableau?

– Collection particulière.

– A vendre?

– Je ne crois pas.

– Ce serait un événement?

– Énorme. Titre : « Les infirmes bancaires, au comble de leur puissance, se battent à mort pour avoir ce que Watteau a pu voir. » Qui serait capable de le leur dire? Je pense qu'il a simplement vécu des milliers de petits romans privés éblouissants. Il les a peints, voilà tout. C'est pourquoi on le présentera toujours, lui, comme ayant été distant et embarrassé, libertin d'esprit, peut-être, mais pas de mœurs. Le contraire, autrement dit l'évidence, serait trop grave.

– Mais ce sont des témoignages de gens qui l'ont connu?

– Ceux qui vous ont vraiment connu ne disent jamais rien. Quant aux autres, la respiration d'entourage, dieu nous préserve de leurs portraits si l'on a eu une vie plutôt allumée, oblique. Un des proches, pourtant bienveillant, de Watteau lui reproche son manque d'intrigue ou d'action, ses répétitions, ses chemins qui ne mènent nulle part. On ne sait toujours pas qui est ce mystérieux Pierrot innocent et a-christique (qui a appartenu au très étrange Vivant Denon). Quand il est à Nogent-sur-Marne, en 1718, avec sa maîtresse, Mlle de la Montagne, on nous dit qu'il ne s'entendait pas avec elle, mais impossible de le vérifier. Trous blancs, oublis, petites anecdotes vagues, les contemporains sont comme les familles, occupés à se défendre contre l'angoisse d'une évasion en force de l'un d'eux. Il suffit de lire la critique d'un temps, sa raideur, sa condescendance (quand ce n'est pas sa démence), d'un temps mais aussi de n'importe quel temps, et peut-être surtout du nôtre, si sûr de ne pas se tromper qu'il ne peut que se tromper radicalement et en gros. Je l'ai connu, charmant garçon (Barrès à l'enterrement de Proust : « le petit Marcel »), vous n'allez quand même pas en faire une histoire? Banal. Encore heureux qu'ils ne brûlent pas tout, l'intérêt les retient, l'argent peut souffler où il veut un jour. L'argent est d'ailleurs un dieu versatile, mais finalement équitable : il finit toujours par révéler les points forts des désirs. Ça fonctionne tout seul. Ô Banque future, protégez-nous de ceux qui nous ont connu!

– Je dirai...

– Tu ne diras rien. Tu auras des moments de mémoire intransmissible comme tout le monde, plus nettement que tout le monde. Hémorragie intime ou bien gorge serrée, comme quand tu apprends, aujourd'hui, que des types sont allés, pendant la nuit, s'amuser à casser les pattes des chevaux de la Fontaine de Neptune à Florence. Stendhal ou Nietzsche se promènent tard, ils surprennent la scène, ils deviennent fous, on les ramène à leur hôtel, ils sont aphasiques. Pendant ce temps, *Voyager II* poursuit sa course vers le nuage d'Oort, poubelle de notre galaxie. Aucune importance. Il est peu probable que *La Toilette intime* soit brûlée un jour, mais enfin on ne sait jamais. Le moment, rien d'autre. Tiens, regarde, on écrit un scénario : *Une journée d'Antoine Watteau.* On le montre assistant à la toilette de sa maîtresse, il la dessine sur le vif, il lui fait l'amour. Ensuite, il passe chez son marchand, il retouche rapidement *La Fête à Venise* qui va bientôt disparaître on ne sait où, il déjeune avec un amateur, va se promener, toujours dessinant, aux Tuileries ou au Luxembourg, passe voir une autre de ses maîtresses, s'allonge sur son lit près d'elle, s'endort. A moins qu'il ne parte pour Saint-Cloud avec des amis, acteurs, actrices, danseuses, danseurs, musiciens, musiciennes, ils se déguisent, dînent, allument des feux, il les dispose à sa guise, proches ou lointains, leur demande de l'oublier, se mêle à eux, s'écarte, rentre dans le jeu et en sort, dessine, déchire, redessine, il se retrouve avec une blonde souple dans l'herbe, derrière un bosquet, vite vu, vite senti, vite fait, quel beau temps, il revient à Paris, chez sa maîtresse du matin, se couche à ses côtés, la fait jouir à demi endormie, attend qu'elle redescende, chaude, détendue, fourrée, pour se perdre en elle comme il faut, de près et de loin, *en pleine peinture*, s'endort, rêve qu'il refait l'enseigne de son ami Gersaint, qu'il enlève mieux la partie droite, tableaux dans les tableaux, qu'il dépeint mieux la passion des acheteurs, leur frénésie de curieux et de connaisseurs, se réveille tôt, descend doucement du lit, note quelques trouvailles de teintes plus foncées aperçues en rêve, sort, marche vite vers son nouveau studio (il déménage sans cesse) où l'attend déjà un modèle, ouvre la fenêtre, reprend ses pinceaux... Comment va-t-il se représenter lui-même dans sa toile? A plat ventre, en train de chuchoter des phrases rapides à cette jeune femme penchée dans l'ombre? En passant, veste sur l'épaule, regard ironique sur la guirlande des corps? En indifférent accoudé à une balustrade? En joueur nerveux accordant son luth?

Scénario refusé : trop raffiné, trop sophistiqué, trop de culture, pas assez d'histoire, invendable pour les séances d'abrutissement télévisuel collectif du soir. On vous a demandé une vie tragique de Watteau, le récit de ses derniers jours, et pas cette succession de digressions et de clips encyclopédiques. « Mais, Majesté, *le sentiment intérieur*? – Quel sentiment? Quel intérieur? Sachez que la peinture, à ce prix, se suffit à elle-même, sois belle et tais-toi. Watteau n'avait rien de plus à dire, tous les témoignages concordent : il était pratiquement muet. Donc, peinture d'un côté, vie tragique de l'autre. – Pas de rapport entre l'œuvre et la vie? – Aucun. Ou plutôt : contradictoire. Il souffre, il peint quand même, il va mourir, c'est tout. »

Stendhal : « Le genre poli, cérémonieux, accomplissant scrupuleusement les convenances, encore aujourd'hui me glace et me réduit au silence. Pour peu que l'on y ajoute la nuance religieuse et la déclamation sur les grands principes de la morale, je suis mort. »

– Il n'est jamais venu à Venise?

– Non. En revanche, une Vénitienne s'est beaucoup intéressée à lui. Très bon peintre, d'ailleurs (il est étrange que la nébuleuse gynocratique n'y ait pas pensé pour sa propagande, je lui donne l'idée, après Camille Claudel surpassant Rodin, pourquoi pas celle-là). Rosalba. Rosalba Carriera. Elle a fait deux portraits de Watteau, un où il est encore jeune (Francfort), l'autre, à la fin de sa vie (Trévise). Son portrait de Louis XV (Berlin) est splendide. On peut la contempler, elle, par elle-même, au musée des Offices à Florence. Elle s'est donné l'apparence d'une bonne bourgeoise bien sage. Mais il faut aller vite à la *Bacchante* de Munich pour soupçonner sa vraie personnalité. Elle écrit de Watteau en 1728 : « J'ai toujours été de ceux qui admirent cet habile homme. » Elle est venue en France en 1720-21, elle l'a donc connu. Rosalba, rose d'aube, fine touche. Elle devrait monter à la Bourse. Je vais m'en occuper et faire deux ou trois visites pour voir s'il ne reste pas quelque chose d'elle dans un placard.

– « Watteau, ce carnaval où bien des cœurs illustres »...

– Pourquoi « carnaval »? Pourquoi « cœurs illustres »? Je suis venu cent fois à Venise et je n'y ai jamais vu un seul carnaval, pas plus que dans une seule toile de Watteau. Pourquoi des cœurs illustres quand il s'agit de gens comme vous et moi qui s'amusent? Baudelaire, encore l'Empereur, morne plaine...

– « Comme des papillons errent en flamboyant »...

– Pourquoi papillons? Pourquoi des papillons erreraient-ils? En flamboyant? Parce qu'ils sont éphémères? Qu'ils vont se brûler aux lustres? Qu'ils vont mourir? (Ça recommence.)

– « Décors frais et légers éclairés par des lustres »...

– Il n'y a pas un seul lustre.

– « Qui versent la folie à ce bal tournoyant »...

– N'importe quoi. Personne ne tournoie même si les toiles tournent, et jamais la raison n'a été plus liée, déliée, plus claire. Pas de carnaval, pas de papillons, pas d'erreur ni d'errance, pas de lustres, pas de versement, pas de folie, pas de tournoiement. Le poème est beau, mais faux. Il aurait mieux fait d'être beau et vrai. Après quoi le bal des moutons vampires répète : « Comme ils s'ennuyaient, comme ils étaient dérangés et tristes, comme ils pressentaient l'écroulement de leur monde cruel et glacé. » La litanie a commencé, on ne l'arrêtera plus. J'ai moi-même été contraint de recopier sans cesse à l'école : « Watteau était un peintre timide, tuberculeux et désespéré, inconscient des droits de l'homme, comme toute son époque. » Et pourtant, malgré l'exorcisme, il reste un doute qui suinte, monte, remonte. « Cythère était un lieu très malsain où l'on trouvait surtout des pendus exhalant une odeur pestilentielle... L'esclavage y régnait : des femmes et des enfants en haillons regardaient de leurs yeux accusateurs et vides ces papillons errants venus insulter leur misère... » « Les danseurs de Watteau organisaient d'immondes orgies, dignes du marquis de Sade... Ces parcs étaient en réalité des camps de concentration où le peuple pressuré, et surtout les femmes, périssaient dans d'atroces douleurs... »

Tiens, d'après toi, de quel instrument joue exactement la Finette? On ne l'a établi qu'en 1961. Il crève pourtant les yeux, c'est le cas de le dire. Guitare, luth, mandoline? Non : théorbe. S'il faut autant de temps aux spécialistes pour identifier un instrument de musique, combien de siècles seront nécessaires pour imaginer les sensations d'un corps qui en joue? Qui oserait interroger ce papillon gris-blanc-vert lumineux posé sur un banc de soir et de faux orage, surgissant dans un flash, de profil, son kalachnikov mélodique à la main? S'agit-il d'une folle illustre qui erre en tournoyant après s'être échappée d'un asile ou d'un carnaval? Il ne semble pas. Sa tranquillité de brocart fait peur. Son regard lourd, sa petite bouche de fruit confit, son corps crapaud plissé d'auto-mitrailleuse, sa tête pédoncule repoussée avec son béret dans le ciel, son derrière et ses jambes qui n'en finissent pas pendant que le fond s'ouvre comme par usure, frottage ou grattage – quelle agression, quel malaise. Est-ce qu'elle vous aime? Pas du tout. Vous regarde? Non plus. Ne peut sortir de son théorbe électrique de rockeuse lépreuse, cercueil de malheur, qu'une plainte romantique aiguë, lancinante, allemande, évoquant des marécages, des miasmes, des enfants noyés dans les bois. On voit seulement son bras gauche serrant ce grand organe indécent qu'elle ne devrait pas savoir manipuler, son bras droit, lui, est enfoncé dans l'autre monde d'où elle va nous lancer une malédiction soufrée. Elle vient de sa toilette intime, la salope, la terrible sorcière, de son bain de mercure venimeux dans sa piscine privée. Elle se glisse dehors, à la tombée du jour, dans son scaphandre d'apocalypse. Un accord déchirant est sur le point de se faire entendre. Fuyez, bonnes gens, bouchez-vous les oreilles, rentrez les chats, les chiens, les bébés, fermez les volets. On ne survit pas au passage de la Finette! Hommes impuissants, femmes stériles, nature polluée, épidémies, asphyxies, convulsions, fièvres, vermine, radios et télévisions brouillées, avions explosant en vol, tremblements de terre, cyclones, raz-de-marée, plus de journal, plus d'informations, l'irréalité, l'abîme. Non, non, tout mais pas la Finette! Nous nous repentons! Au secours! Nous promettons même de lire une page de livre par jour!

III

Les bateaux arriveront dans dix jours, il fait toujours aussi beau, poussée des lauriers dans le bleu, ombres stables. J'écris assis sur le sarcophage au fond du jardin. Ma barque à moi s'appelle donc NF.F.NS.NC., et ça m'étonnerait que ces initiales puissent être déchiffrées par la capitainerie du port ou les douanes. J'ai maigri, je promène mon corps, je le fatigue un peu, je le dors. Luz nage dans la piscine, on est divinement seuls. De temps en temps, un journal français me tombe sous les yeux, je lis distraitement les nouvelles ou les interviews des écrivains de l'été, quelques lignes de leurs récits de voyages, leurs prises de position philosophiques ou politiques (toujours pour le bien, jamais pour le mal), leurs impressions de festivals de théâtre ou d'expositions, et même parfois un extrait de roman, impossible au bout de trois phrases. On célèbre tel mort ici, telle autre grande figure disparue là. Des citations de poèmes confus sont rapportées avec dévotion. Tiens, une déclaration du Directeur Général du Livre à propos de la foire internationale de Singapour. Il ne se passe rien en France? Hélas non, pas grand-chose, non, vraiment rien, nous sommes sans doute dans une période de transition, je ne peux vous citer aucun nom qui s'impose, mais attention, restons prudents, regardez le dix-neuvième siècle qui ne s'est pas rendu compte de l'existence de Stendhal, or Stendhal était là, n'est-ce pas? Vous l'avez dit, Norpois, les mouettes approuvent. Nul doute qu'en 2089 il y aura le même train-train, les mêmes laborieux charlatans admis, mesurés, fades. Stendhal, lui, écrit : en 1880. Ses expressions, à propos de ses contemporains, s'impriment toutes seules : « Fanatique sombre, esprit à tout faire. » Ou bien : « Lâche jusqu'au scandale. » Ou encore : « Triste animal, bon, fin, cauteleux. » Il sort d'un café ou d'un théâtre en répétant comme Julien : « Canaille, canaille, canaille. » L'émotion vient, par exemple, en lisant dans son journal, le 23 novembre 1839 à Civita-Vecchia : « Bleu ardoise et vert olivier bien verni. Couleur du ciel et de la mer, jour de sirocco; commencement de tramontane. Ciel ardoise. Mer à l'horizon vert d'olivier verni; cette couleur commence à 200 pas du rivage. » L'ardoise le faisait sans doute penser aux examens de mathématiques dans sa jeunesse, l'estrade, le chiffon plus ou moins humide, l'inquiétude, les équations, la craie. Il faut l'imaginer rentrant au Consulat, perplexe devant un écran d'ordinateur. Et aussi, le 28 novembre de la même année : « Je commence à reprendre l'habitude du travail et la lassitude d'esprit le soir. Naturel dans les discours de distraction. Les deux frères et la sœur le 27 à dîner. » Parfois, on y est presque. Ainsi pour Mme Le Roy, Jeanne, femme de son professeur de dessin, « une diablesse de trente-cinq ans, fort piquante et avec des yeux charmants »... « Je convoitais fort deux volumes des *Contes* de La Fontaine aux gravures fort délicatement faites mais fort claires : ce sont des horreurs, dit Mme Le Roy, avec ses beaux yeux de soubrette bien hypocrites, mais ce sont des chefs-d'œuvre. »

Tout le sel de la phrase est naturellement dans le *bien*. Et aussi dans la répétition, trois fois, du mot *fort* (qu'un mauvais écrivain n'aurait pas laissée).

Il a d'abord écrit : « fort délicates », et a corrigé en « fort délicatement faites ». Quant à : « avec ses beaux yeux de soubrette bien hypocrites », il s'agit d'une addition interlignée.

On ne parle pas assez des croquis de lieux et de situations que Stendhal accumule dans ses manuscrits posthumes, topographie émotive et rapide. Il n'a rien à perdre, tout à retrouver. J'étais là, j'allais de là à là, sa mémoire est debout devant lui, tableau noir, carte militaire, partition de musique, souvenirs marqués géométriquement avec leur halo vivant de contrainte ou de joie. Ainsi pour l'annonce de la mort de Séraphie, la sœur de sa mère, sa persécutrice : « Je me jetai à genoux au point H pour remercier Dieu de cette grande délivrance. » Le dessin représente la cuisine où il se trouvait (il a quatorze ans) quand la nouvelle (« Elle est passée ») a été dite ; la petite cour près de la cuisine ; une grande table ; un point O, « boîte à poudre qui éclata », et sa présence, donc, au point H (il s'appelle Henri et sa mère perdue bien-aimée Henriette). D'autres fois, il est en H.H.H. C'est beaucoup plus qu'un récit, une incision à vif, une scarification, une stèle. Un peu comme les Grecs, après un raid victorieux, dressaient un trophée. Réhabiter le point H, tout est là pour qui s'est beaucoup comprimé, et pour cause, dans le temps et l'espace. La boîte à poudre qui éclate, un adolescent qui remercie Dieu (dont il ne fait jamais usage, sauf en l'appelant *God* pour l'obtention des *Privilèges*, à la fin de sa vie) pour célébrer la mort de sa tante haïe entourée de prêtres, quel tableau ! C'est une horreur, dirait Mme Le Roy, avec ses yeux de soubrette bien hypocrites, mais c'est un chef-d'œuvre.

La mère de Stendhal (qu'il n'arrête pas d'embrasser à la gorge et qui, « légère comme une biche », enjambe un soir le matelas où il couche près de son lit) meurt quand il a sept ans. La sœur de sa mère, la démoniaque et bornée Séraphie, n'est donc pas parvenue, dans les sept ans qui ont suivi, à se faire épouser par Chérubin Beyle, le père. C'est drôle d'avoir un Chérubin et une Séraphie pour ennemis mortels.

Autre croquis, traits parallèles en étoile : « Route de la folie, route de l'art de se faire lire, route de la considération publique, route des bons préfets et conseillers d'État, route de l'argent. Point A : moment de la naissance. Point B : route prise à 7 ans, souvent à notre insu. »

Que faisais-je à sept ans? Ai-je oublié? Non.

Dictionnaire courant, article Stendhal (1783-1842) : « Son style nerveux fait vivre dans une action rapide des héros lyriques qui dissimulent une grande sensibilité sous un apparent cynisme. »

Un moraliste de la fin du vingtième siècle (siècle dans son ensemble abominable, on s'en souvient peut-être) qui a été, sans nul doute, un des seuls vrais révolutionnaires de son époque, commence un livre ainsi, non sans hauteur :

« Toute ma vie, je n'ai vu que des temps troublés, d'extrêmes déchirements dans la société, et d'immenses destructions; j'ai pris part à ces troubles. De telles circonstances suffiraient sans doute à empêcher le plus transparent de mes actes ou de mes raisonnements d'être jamais approuvé universellement. Mais en outre plusieurs d'entre eux, je le crois bien, peuvent avoir été mal compris. »

Cela me donne envie de commencer plus modestement des *Mémoires* par :

« Toute ma vie, j'ai vu des temps heureux sauvés comme par enchantement du néant, des ententes et des complicités inouïes, d'intenses reconstructions; j'ai pris part à ces fêtes. Une telle étrangeté implique que le plus obscur de mes actes ou de mes raisonnements sera toujours universellement compris. Et en outre, plusieurs d'entre eux, j'en suis certain, ont été très bien compris, spécialement par ceux qui s'y sont opposés de toutes leurs forces. »

Je me lève, je ferme les volets, je vais marcher un peu puisqu'il est midi. Venise est la capitale invisible en plein jour de la planète, elle est habitée par des gens de province extatiques et tranquilles. Il ne leur viendrait pas à l'esprit de réfléchir à leur incroyable situation. Ce qu'il nous fallait, sans hasard.

Stendhal, encore : « Le plaisir que j'ai à écrire, plaisir qui allait jusqu'à la folie en 1817 (à Milan, Corsin del Giardino)... »

Et aussi : « Un matin, en entrant à Milan par une charmante matinée de printemps, et quel printemps ! et dans quel pays du monde !... »

Je fais mes visites le soir, Luz m'accompagne une fois sur trois, elle m'attend à la terrasse d'un café, se fait de temps en temps draguer, me raconte. Souvent, pour rentrer, on prend la ligne 5, *Circolare*. Il y a du monde vers les quartiers populaires de la Giudecca, on est séparés, les garçons regardent Luz, il y a de temps en temps une jolie fille qui descend à Zitelle ou au Redentore. D'autres fois, si on est assis à l'arrière, on a presque le visage dans l'eau, les joues à la hauteur du tapis ondulant liquide. Les dimensions s'inversent, le palais ducal, immense il y a cinq minutes, devient un jouet d'enfant illuminé posé sur l'horizon noir. Le vaporetto longe la rive sans soleil, puis repique sur les Zattere, droit sur la grande porte en bois verni des Gesuati, quartier des ombres pressées et discrètes. On mange dans une trattoria sur les quais, mais parfois aussi à la terrasse du *Giglio* ou bien aux

Deux Lions, sur les Schiavoni. Ou encore, elle a une réunion au Centre américain, je dîne seul, je lis. Il y a eu un congrès d'Astrophysique à la Fondation Cini, résultats de la sonde Magellan sur l'invivable Vénus, qu'a-t-on appris sur la région d'Ishtar, aussi grande que l'Australie; il y en aura un autre sur la Biosphère. Dans les dîners officiels – baies vitrées sur le Grand Canal, en face de la Douane, rouge coucher de soleil en plein ciel – j'attends le moment où je pourrai retrouver son cou, son menton, sa bouche. Il y a au moins deux dizaines de bancs, dehors, que je pourrais marquer à la craie : *point Luz*. « Je ne me souviens, après tant d'années et d'événements, que du sourire de la femme que j'aimais. » Une mémoire préparée en vaut mille. Cependant tout va vite, les journées rentrent les unes dans les autres, télescope tourné vers l'intérieur, lentilles de plus en plus fines, puissantes, sable d'air. Après avoir nagé, en sortant sur le quai, dans le soir mauve, Vénus brille fixe à gauche, clou, note en haut de page, rosée. Souviens-toi du pont Trevisan, près du Consulat de France, avec la maison du coin, terrasse glycines et Vierge abritée à l'Enfant, et de la ruelle Trevisan, si étroite qu'on ne peut y marcher que l'un derrière l'autre avec, au bout, la trouée de lumière éblouie sur l'eau et le laurier blanc. Souviens-toi de tout et de rien, on ne saisit rien, passage. Dire qu'il était possible, au dix-neuvième siècle, de préférer Milan à Venise, enfin la rectification a eu lieu. Avant nous, le déluge; après nous, ce qui se voudra. D'ailleurs, il n'y a jamais de déluge. Entends ces carillons du matin, à toute volée, regarde encore la Salute. Rentre et fais quelques brasses sur le dos dans la piscine, soleil, salade, café. « Vivre en Italie et écouter de cette musique devint le but de tous mes raisonnements. » Ou bien : « Un homme devait être selon moi amoureux passionné et en même temps porteur de joie dans toutes les sociétés où il se trouvait. » C'est écrit en pensant aux comédies de Shakespeare, *As you like it*. « J'avais deux ou trois maximes que j'écrivais partout et que je suis fâché d'avoir si complètement oubliées. Elles me faisaient venir des larmes d'attendrissement; en voici une qui me revient : *Vivre libre ou mourir,* que je préférais de beaucoup, comme éloquence, à *La liberté ou la mort* qu'on voulait lui substituer. »

On est, là, en 1793. Henri Beyle, de Grenoble, alias Stendhal, alias Brulard, alias Dominique, alias Darlincourt (et bien d'autres), a dix ans. Il prétend avoir connu le modèle de Mme de Merteuil dans *Les Liaisons dangereuses* (« Vous êtes un bien mauvais sujet. Oui, vous êtes charmante »), la vieille Mme de Montmaur, boiteuse, qui lui offrait une noix confite *entière.* Puis il rencontre le vieux général Laclos dans une loge de la Scala de Milan, lequel, dit-il, *s'attendrit* en apprenant que lui, H., était de Grenoble. Dans *La liberté ou la mort,* il ne faut pas une oreille très fine pour entendre immédiatement et surtout : *la mort. Vivre libre ou mourir,* en effet, est tout autre chose. On trouverait ce genre de formules un peu partout dans Thucydide, et pas seulement chez les démocrates Athéniens. Les Corinthiens, par exemple, s'expriment on ne peut plus clairement (et en voilà assez pour justifier, s'il en était besoin, mes *visites nocturnes*) : « Celui qui, attaché à ses aises, hésiterait à se battre, serait bien vite privé, en restant passif, des jouissances d'une vie facile, c'est-à-dire des raisons mêmes qui le font hésiter. »

Geena :

– Mais enfin, cette fille, tu lui dis *quoi*?

Je pourrais feindre de lui avouer que je lui dis presque tout et que cela est désormais sans danger. Mais à quoi bon essayer de démontrer à Geena que tout ça (précautions, pseudoangoisses, ruses) est *fini*? Que le roman policier, étant partout, n'est plus nulle part? Qu'en somme il ne se passe plus rien (ou sans cesse quelque chose, ce qui revient au même)? Qu'on peut écrire ou agir ouvertement sans être vu de personne (à moins d'être balancé par son propre réseau, ou d'insister et de réclamer la répression en tirant au hasard sur la foule)? Une petite conférence de Luz à Geena sur les trous noirs? Sans espoir. Watteau marchant sur les eaux dans l'indifférence générale? Interview de Jésus-Christ, le soir, à la Fondation X ou Z? Pourquoi pas, rubrique *people*. Au fond, il suffit d'être en règle avec l'ombre et l'ombre de l'ombre. Cette dernière est d'ailleurs très conciliante si l'on est ponctuel, pratique, détaché. Tout s'arrange, rien ne dérange, et au moindre dérangement le film pour l'extérieur est prévu. Savoir lire, simplement lire, vous mettra bientôt au rang des dieux.

Tu comprends, Geena? Non? Peu importe.

Je suis à Paris, elle a donc tenu à ce que ma venue paraisse nécessaire, moyen de marquer ses pouvoirs, mais la vérité est qu'il n'est pas si évident, pour une femme, d'avoir sa détente assurée, mesurée, sans histoires. Difficile d'envoyer un fax : « Envie de faire l'amour, serai à Paris pour week-end. » Les sentiments anciens sont donc encore de mise pour faire décor : curiosité, jalousie, simulation d'intrigue, allusions, et même pudeur. On comprend que Laclos, après son roman, soit vite passé à autre chose; que Sade ait poursuivi dans l'énormité destructrice; que Stendhal, entre deux fiascos (ce physique absurde), ait choisi la cristallisation à distance (« Les temps sont maussades et tristes, sous Louis XIV j'eusse été galant et aimable, en ce 19e siècle, je suis platement sentimental »).

L'équation de base a été dévoilée par Laclos (et développée par Proust) : on fait l'amour pour faire une méchanceté à quelqu'un, ce qui, tout bien considéré, en dehors des fantaisies destinées à tromper l'ennui, est bien la seule raison de se mêler de ces choses. Au mieux : échange d'informations. Au pire : aveuglement réciproque. Il y a des plaisirs – et même considérables, et tout aussi vite oubliés – dans les intervalles. Encore heureux s'il reste de tout cela une version calmée, véridique : *Les Champs-Élysées, Cythère* ou *Plaisirs d'amour*. Geena s'ennuie ? Sûrement. Elle a envie de faire une méchanceté (« cette fille ») ? Aucun doute. Elle se raconte un petit roman télévisé classique sur une idylle à Venise, elle veut s'en mêler et l'intercepter ? Probable. Elle a repris son idée d'espionner Nicole à travers moi ? Tout cela, et peut-être encore autre chose, sans parler de la satisfaction de me déplacer en pensant que je veux en savoir davantage. En quoi elle se trompe, puisque je suis le chroniqueur réservé modèle, j'imagine bien ce qu'on me cache, je n'ai pas besoin de l'apprendre. A qui s'adresse notre « méchanceté » à Luz et à moi ? Au cosmos entier ? « On peut le penser. » Crime aussi excitant que rare : vol du temps. Longtemps, je me suis laissé intimider, dérouter, au point de m'acharner sur des choses aussi inutiles que sombres. J'ai chassé ma nature, elle est revenue au galop. Voyons : ai-je bien le droit de parler ainsi ; ai-je bien eu mes saisons en enfer ; ai-je subi l'acariâtrerie de base ? Oui. Dois-je cependant rougir en pensant à telle ou telle de mes actions ? Non. Suis-je sûr d'avoir toujours eu *mes raisons* ? Oui encore. Mon cas est désespéré ? J'espère.

Geena m'observe, enregistre mon peu d'agitation physiologique, mes silences, ma très sensible abstention. Elle veut que nous allions voir Nicole, nous dînons chez elle, boulevard Saint-Germain, mais en dehors du code, comme si de rien n'était. Geena s'arrange pour partir tôt, je suis obligé de rester, la conversation traîne (« Venise ? Près de la Salute ? Calle di Mezzo ? J'y suis allée une fois »), pas un mot sur l'opération en cours ni sur les autres (qui va s'occuper des merveilles disparues du palais Mazzarino, celui du *Guépard,* à Palerme? Quelles sont les prévisions sur les trois prochains Picasso?). Anecdotes sur les promotions ou les régressions, l'occupation diagonale des places. Puis :

– Tu aimerais rester à Venise?

– Pourquoi pas?

Là, danger. Épreuve décidée avec Geena, ou proposition personnelle? Il est une heure du matin. Elle se lève, trop tôt pour m'en dire plus, simple message, dois-je l'embrasser et pousser un peu, c'est elle qui vient vers moi, c'est elle qui m'embrasse, sans appuyer, au revoir. Pas trace de Watteau. Le lendemain, quelques détails techniques avec Geena, assez distante, puis avion et retour. J'ai acheté pour Luz une petite pomme de jade chinoise. Je la lui donne le matin dans la salle de bains.

Dans les *Fêtes vénitiennes* d'Édimbourg, il y a dix-huit personnages, dix-neuf si l'on compte la statue blonde vivante de femme nue en bord de cascade, le bras droit bien relevé pour qu'on ne voie qu'elle. Dans *La Fête,* donc : vingt et un. Conversation générale, en rebonds discrets, avec danse sur fond de musette de cour. Hotteterre, dans son *Traité de la musette* (1738), dit qu'on « l'habille toujours dans la peau d'une espèce de robe qu'on nomme couverture... Le velours est ce qui convient le mieux à cela, attendu qu'il est moins glissant que les autres étoffes. On peut enrichir cette couverture autant que l'on veut, soit de galons en points d'Espagne, soit de broderies, car l'ornement et la parure conviennent à cet instrument ». Daquin, dans *Le Siècle de Louis XV* (Paris, 1745), note que « la musette est l'instrument des amateurs de fêtes champêtres et des amusements de la campagne, car elle rappelle les temps fortunés où les pasteurs, pour plaire à leurs belles ou pour les engager, unissaient la voix à ses sons doux et flatteurs. La musette semble faite pour la solitude des bois et pour exprimer les soupirs d'un amant ».

Soupirs ou pas, j'ai envie de faire rimer *musette* et *finette*. Finette, chemise de nuit. Finette : « Tissu de coton rendu pelucheux à l'envers au moyen d'un grattage. » Ajoutons-y *percale*, mot parfait, du persan *pergala*, « toile très fine, tissu de coton ras et très serré ».

Pas de Muses, plein de musettes. Elles rassemblent, dans l'air peint, l'herbe, l'eau, la pierre, les feuilles, les murmures de voix, les visages déjà préoccupés d'arriver le mieux possible aux conclusions de l'affaire. « Vous croyez? On peut y aller? Si vite? N'est-ce pas un peu précipité? Vous êtes sûr de l'ouverture, du coup? » Les danseuses et l'unique danseur se dévouent pour occuper la scène, tandis que les autres sont tassés les uns près des autres, comme une gamme fiévreuse de clavecin. Dans *La Fête à Venise*, le cercle est plus resserré, comme vu de plus près. Les roses et les verts dominent, sauf le départ d'escalier à la petite blonde en rouge, avec, toujours, le couteau transversal des nacres. A gauche (innovation par rapport au tableau d'Édimbourg), une dénivellation du sol, comme dans la *Récréation italienne*, donne l'impression que l'un des musiciens, un guitariste, est assis sur le sol peu profond d'un bassin, d'une petite piscine ou d'une fontaine à sec, patinoire d'été, glacée d'ombres. *Voilà le point H.* Attention, audition, sourire propagés, puissance concentrique de la ville absente. La note générale est qu'ils *recommencent*. Un peu fatigués, approfondis, voulant se soutirer un spasme plus lent, plus violent. Depuis le temps que je cours de Berlin à Dresde; de Londres à New York, Washington ou Boston; de Leningrad à Madrid; de Stockholm à Rotterdam en repassant par Paris sans oublier Chantilly; de San Francisco (pour *La Par-*

tie quarrée qui vaudrait à elle seule trois mois d'études) à Richmond pour l'incroyable *Lorgneur,* sans parler de Lugano, d'Helsinki, de Francfort, d'Angers, de Troyes (pour *L'Aventurière* et *L'Enchanteur*), et ajoutons à tout cela les collections privées (extrêmement privées), la planète tourne pour moi autour de ce pinceau, il s'est faufilé partout, c'est une pieuvre, un envahissement parachuté posthume, les villes n'ont plus d'existence que par ces improvisations placées en leur cœur, ces dimensions, ces sujets toujours les mêmes et jamais les mêmes, cauchemar à faire peur. Si les gens savaient, oui, comme pour *La Finette* et *L'Indifférent,* ils auraient *vraiment* peur. Je devrais enlever *La Fête,* revolver au poing, le garder pour moi quelques heures, mourir à côté d'elle. Je loue un bateau, je pars avec le *colis,* bataille rapide en mer, je coule avec, je le rends à Neptune au large... Allons, allons, convoyons.

La salle de bains, à sept heures du matin, est éclaboussée de soleil. A sept heures et demie, comme à six heures du soir, frénésie des cloches. Toutes les églises se manifestent à la fois pendant cinq minutes. Les églises : réseau d'autrefois, dont nous avons pris la suite pratique. Dieu mort, pas mort? Mort devenue Dieu? Nous ne discutons pas, nous travaillons. Il est d'ailleurs très occupé, Dieu, entre armements, pétrole et peinture.

J'aime le tournant de la ruelle, à droite, en sortant. C'est un point H., ou W., ou F., après tout, comme Froissart, expert en techniques de désapparences. Il y a là, presque toujours, un chat au soleil contre une porte de bois verni. Il fait semblant de veiller, de dormir, d'être là : un collègue. Je traverse, entre les platanes, la place au puits blanc avec son grand couvercle de fer rouillé ; je sens contamment la pierre sous mes pieds ; je vois la file d'attente devant l'Accademia pour aller voir les images saintes, les tableaux qui garantissent, espérons-le, les films maladroits et confus dont les corps sont tissés. Le spectateur, qui sait, imagine peut-être *qu'on lui sait gré,* en haut lieu, d'aller se recueillir devant ces icônes, et pourquoi ne serait-il pas, en plus, enregistré cinq secondes sur écran mondial par une caméra cachée ? Pour le reste, c'est-à-dire l'existence réelle, apprenez, pour votre minitel, les noms de code :

Chadog? « Chiens et chats réunis sur un même écran, voilà l'astuce du service. On y trouve toutes les informations nécessaires à la bonne alimentation et à la bonne santé de vos animaux domestiques préférés. A titre d'exemple : la truffe de votre Labrador est brûlante ? Consulter nos conseils vous prendra 4 minutes. »

Artline? « Professionnels et amateurs apprécieront cette superbe banque de données dédiée aux peintres et à leurs œuvres. Outre une biographie détaillée sur chaque peintre, on vous donne tous les résultats des ventes publiques depuis trois ans dans le monde. 4 minutes pour rechercher une œuvre, consulter son prix de vente et la biographie de son auteur. »

Atlaseco? « L'économie de 200 pays du monde et la production minière, c'est notre tour de force. Produit national brut, taux d'inflation, populations sont passés au peigne fin par les meilleurs économistes. Compter 2 minutes, par exemple, pour devenir incollable sur l'économie du Pakistan. »

Psyco? « Un petit coup de déprime ? Une angoisse existentielle ? Un enfant en retard à l'école ? N'hésitez pas à consulter nos psychologues, ils sauront répondre à toutes vos questions. Exemple : retrouvez l'équilibre, donnez un sens à votre quotidien, grâce aux rubriques *Gagnez dans la vie* et *Affirmation de soi.* »

Alir? « Plus de 40 000 titres dans ce catalogue accessible par auteur ou par titre et la possibilité de commander ou de recevoir tous les livres dans les 48 heures, nouveautés, revue de presse, conseils. Une vraie librairie à domicile. Exemple : 3 minutes pour repérer et commander le livre dont on a envie. »

BO? « Vous l'avez compris, BO s'occupe de bourse : les cours, l'or, le règlement mensuel, le second marché, la gestion de portefeuille. On peut accéder à un cours par le nom de la société, exemple : on décrit les cotations précédentes, la plus haute, la plus basse. Excitant, non? »

Vous en avez assez? Moi aussi. Et encore, je vous épargne *Ulysse* pour trouver un emploi; *Pastel*, pour décider de votre maison de retraite; *Novalis* pour la musique. Sans oublier les nouveautés déferlantes, *Naissance* : « que diable s'est-il passé le jour de votre naissance? », ou encore *Chich* : « que veut dire votre nom de famille? » Comment, rien sur les événements probables du jour de votre conception artificielle ni sur celui de votre mort? Ça viendra. Appréciez ces populations passées *au peigne fin*, ces biographies consultables en deux minutes... N'est-ce pas formidable? Irrésistible? Toutes les réponses à toutes les questions? Toutes les questions que vous n'avez pas encore imaginées ayant déjà leurs réponses?

– Quoi de neuf?
– Un Vermeer, monsieur.
– Celui de Boston?
– Évidemment.
– J'ai peur que ce soit un peu trop. Rien d'autre?
– Un manuscrit autographe de *Rome, Naples et Florence.*
– Quoi?

– Stendhal, monsieur.
– Encore Froissart? Et les bijoux, l'or?
– Je vois que vous pensez à la crise, monsieur.
– N'avons-nous pas trop de personnel en action?
– C'est possible, monsieur.

Boston? Le coup le plus important depuis Monet-Marmottan. Deux cents millions de dollars minimum. Un des plus beaux Vermeer, *Le Concert*; un autoportrait de Rembrandt et son *Orage sur la mer de Galilée*; le *Chez Tortoni*, de Manet; une coupe en bronze chinoise inestimable... Le musée Gardner : une folie vénitienne construite en 1899 sur le modèle d'un palais d'ici. Titre sur le fronton, en français : *C'est mon plaisir*. Isabelle Stewart Gardner, curieux personnage : fréquentant des boxeurs et se saoulant à la bière, plus ou moins convertie au bouddhisme après la mort de son fils et de son mari... Vous m'avez compris. Elle a acheté le Vermeer à Paris en 1892 pour six mille dollars. Il en valait déjà deux cent mille en 1925. Aujourd'hui? Pas de prix, donc, en principe, inaccessible (sauf, langage journalistique, pour un « collectionneur fou »). Retour discret probable via l'Assurance? Ces mystères nous dépassent, ne feignons pas d'en être les organisateurs. Je peins seulement le passage. Vie d'un passeur. Le passant passionné passeur du passé. Tout le monde a semblé surpris que les déménageurs aient négligé, cette nuit-là, *Le Vol d'Europe*, de Titien. Pourquoi cet hommage spécial à Venise? En revanche, les « filières d'Amérique latine » et « d'Extrême-Orient » n'ont pas manqué d'être évoquées, pistes sûres, à condition de ne pas aboutir.
Le vol d'Europe.

– Tu as une bonne mémoire?

– Excellente.

Luz me raconte un de ses rêves « en deux tableaux », oui, un diptyque, elle s'amuse à filmer l'interprétation que j'en fais. L'idée de stocker des archives m'est venue peu à peu, quand j'ai été sûr que personne n'écoutait plus personne, ne se souvenait de rien, ne faisait plus attention à rien. Que sommes-nous? Où irons-nous? Qui serons-nous? Inapparences, apparences, désapparences... Y aura-t-il encore une transmission? Par où passera-t-elle? Les gestes amoureux? Vieilles marques animales toujours fraîches?

La reproduction de *L'Assemblée dans un parc* était juste en face de mon lit, dernière chose vue avant d'éteindre. Ma vision éveillée commençait et finissait donc là sur le mur. Il y avait l'agitation des journées, le bavardage des figurants adultes, et puis, le soir, l'allongement dans les draps, l'oreiller d'oreille, l'assemblée du vrai temps faisant signe, craquement d'écorce, couple jaune-orange marchant vers un lac, lever du rideau, ferme les yeux, laisse faire, aie confiance. La peinture est d'abord liée à la nuit. Mais il y en avait plein, des peintures, paysages, bibles, batailles, femmes nues; il suffisait d'ouvrir les livres. Le seul que j'aie gardé est ce petit Watteau, papier glacé, mauvaises couleurs, texte médiocre imprimé en gros caractères, trésor. Pomme de Pâris trop sombre, et d'ailleurs ne nous pressons pas de choisir, les trois déesses ont chacune leurs charmes, poursuivons l'audition, déshabillez-vous encore une fois, je dois réfléchir... Oui, oui, nous irons peut-être demain dans l'île... *Charme*, du latin *carmen, carminis* : formule en prose ou en vers à laquelle on attribuait le pouvoir de troubler l'ordre de la nature. Oh oui, troublons-la puisqu'elle n'est que trouble. « Les biens les plus charmants n'ont rien de comparable/Aux torrents de plaisir qu'il répand dans nos cœurs. » On apprenait ça au lycée, dans *Esther.* A la sortie, la marchande de journaux vendait sous le manteau les premiers illustrés sales. Elle était laide, misérable, courageuse, pervertissant la jeunesse au risque de se faire dénoncer, cabane de bois peinte en gris, antre à sorcière... « Vous avez les nouveaux? » Vite, retour à bicyclette, examen tranquille dans l'un des greniers... *Les Charmes de la vie* : où cela se passe-t-il? Tuileries? Luxembourg? Il a habité au Luxembourg chez Audran, Watteau, il pouvait observer sur place, et de près, les Rubens de Marie de Médicis, mais quelle décision de sortie, quel saut en plein jour. *Charme* vient du sanscrit *célébrer*, c'est aussi un arbre, ne nous privons pas non plus de *charmille...* Accorder son luth comme ça, bien dressé, devant tout le monde? *Luth*, de l'arabe *al-ûd*. Expression courante : marier le luth avec la voix. Sévigné : « Mme de Marans mariait le luth avec la voix, et le spirituel avec des grossièretés qui font horreur. »

Quel est le contraire de charmant? Blessant, choquant, déplaisant, désagréable, ennuyeux, maussade, rebutant, repoussant, révoltant. Le charme est un moyen magique qui sert aux conjurations, aux incantations (la conjuration étant l'action de chasser l'agent mystérieux du mal *ou de l'appeler pour le faire*).

Un auteur : « On doit éternellement regretter qu'Adam n'ait pas connu, au Paradis terrestre, un charme contre le Serpent. »

Séduction puissante, grand attrait, agrément physique – mais aussi remède et soulagement. Comme un charme : d'une façon merveilleuse, surprenante de facilité. État de charme : comparable à l'hypnose. On le fait cesser en soufflant légèrement sur les yeux. Mais une fois les yeux fermés, le sujet en état de charme, sur simple affirmation, peut avoir des halluci-

nations, une paralysie ou des mouvements automatiques. Une fois réveillé, il se souvient à peine de ce qui lui est arrivé.
Charme : vertu magique que l'on porte en soi. Se dit désormais, en physique, de certaines particules.

« On peut souvent reprocher à Watteau d'avoir cédé à un brio bien français. »

Brio, à partir du dix-neuvième siècle, et désormais définitivement, est donc devenu un reproche, l'équivalent d'inessentiel, gratuit, superficiel, vain, trompeur, miroitant pour rien, inutile. *Brio*, associé à *français*, aggrave la réprobation.

Brio : caractère brillant et résolu d'une composition ou d'une exécution musicale. Italien *brio*, vivacité. Provençal *briu*. Ancien français *a-brivé* (actif, prêt). Origine celtique. Gaëlique : *brigh*, force. Ancien irlandais : *brîg*. Sens général : chaleur, vie, entrain.

Exemple actuel : « Peut-être, peut-être (moue dépréciative); il est vrai que ça ne manque pas de *brio* »...

Il n'est pas interdit de lire les auteurs du temps de Watteau :

« Rien n'est plus commun que de voir les rossignols dans le temps qu'ils sont en amour s'assembler dans un bois lorsqu'ils entendent jouer de quelques instruments, ou chanter une belle voix à laquelle ils s'efforcent de répondre par leurs gazouillements avec tant de violence, que j'en ai vu souvent tomber pâmés au pied d'une personne qui avait, comme l'on dit, un gosier de rossignol, pour exprimer la flexibilité d'une belle voix. J'allais souvent prendre ce divertissement avec elle dans un bois à sa maison de campagne. »

« L'on trouve fort souvent aux Tuileries, pendant le mois de mai, des gens qui y vont le matin avec des luths et des guitares et autres instruments, pour prendre un divertissement. Les rossignols et les fauvettes viennent se placer presque sur le manche des instruments pour les mieux entendre, ce qui prouve que les oiseaux sont plus sensibles aux charmes de la musique qu'à leur liberté. »

« Monsieur de ..., capitaine dans le régiment de Navarre, fut mis six mois à la Bastille pour avoir parlé trop librement à M. de Louvois; il pria M. le Gouverneur de lui accorder la permission de faire venir son luth pour adoucir sa prison. Il fut fort étonné de voir au bout de quatre jours, dans le temps qu'il jouait, sortir des souris de leurs trous, et des araignées descendre de leurs toiles, qui vinrent former un cercle à l'entour de lui pour l'entendre avec une grande attention, ce qui le surprit si fort la première fois qu'il en resta sans mouvement; de sorte qu'ayant cessé de jouer, tous ces insectes se retirèrent tranquillement dans leurs gîtes; cette assemblée donna lieu à cet officier de faire ses réflexions sur ce que les Anciens nous ont dit des Orphée, Arion et Amphion. »

La peinture ne peut pas être séparée de la musique, de la danse, de l'architecture, de la sculpture, de la poésie, du roman, du théâtre, de l'opéra et, de proche en proche, des chambres à coucher, des bureaux, des terrasses, des caves, des rues, des cafés, des bordels, des cimetières, des égouts, des usines, des ministères, des laboratoires, des observatoires, des journaux, des studios, des jardins, des montagnes, des rivières, des mers. Et réciproquement.

Il n'est pas interdit non plus de lire François Couperin : « On ne doit se servir d'abord que d'une épinette ou d'un seul clavier de clavecin pour la première jeunesse. Et que l'une ou l'autre soit emplumé très faiblement. Cet article étant d'une conséquence infinie, la belle exécution dépendant beaucoup plus de la souplesse et de la grande liberté des doigts que de la force. »

Ou bien : « Les personnes qui commencent tard ou qui ont été mal montrées feront attention que comme les nerfs peuvent être endurcis ou peuvent avoir pris de mauvais plis, elles doivent se dénouer ou se faire dénouer les doigts par quelqu'un avant de commencer, c'est-à-dire se tirer ou se faire tirer les doigts de tous les sens. Cela met d'ailleurs les esprits en mouvement, et l'on se trouve plus de liberté. »

Ou encore : « J'ai déjà dit que la souplesse des nerfs contribue beaucoup plus au bien jouer que la force. Ma preuve est sensible dans la différence des mains des femmes à celles des hommes. Et, de plus, la main gauche des hommes, dont ils se servent moins dans les exercices, est communément la plus souple au clavecin. »

Unité de temps, de lieu, d'action, de diction :

« Le long de la rivière, vous verrez tous les jours et à toute heure, nombre de ces petits bateaux qui, pour deux, trois ou quatre sols, selon le lieu, par personne, vous mèneront aux villages des environs les plus agréables pour la promenade et la bonne chère, comme Chaillot, Passy, Auteuil, Boulogne, Saint-Cloud, le Moulin de Javelle, Au bas du Pont-Royal, vous trouverez la galiote pour Versailles : elle part tous les matins à huit heures. »

On le voyait souvent au Pont-Royal...

Qu'est-ce qu'une rencontre? Deux rythmes qui s'accordent, se relancent d'eux-mêmes : le luth, la voix. C'est le côté miraculeux des rencontres, pas de celles qui partent en fumée (mais celles-là aussi sont belles par définition, elles célèbrent l'instant, voilà tout), mais de celles qui durent *comme rencontres.* Point Luz. Complexité nerveuse, conflit positif, harmonie. Bonne contradiction : mélodie. La chimie des hasards n'est pas mesurable : quelqu'un naît là, part de là, est modelé comme ci ou comme ça, le résultat, en principe, devrait être inscrit au programme, et puis : rencontre. On peut tout expliquer après coup, bien sûr, on ne s'en prive pas, mais à quoi bon? Il devait y avoir ennui habituel, haine-discorde? Non, les oiseaux, les souris et les araignées ne viennent pas écouter de la musique, mais *c'est tout comme.* « Tout comme » est la clé. Tant pis pour les éternels prêcheurs de l'authentique, de la hotte antique, infantiles d'ailleurs rusés et intéressés du Père Noël de l'amour-fusion-unification, de la romance à une voix écrasant l'autre, donc soi. Deux, toujours deux, encore. La mort dans le coup? Évidemment, et pour cause, c'est même de cela qu'on jouit. Mais, si vous voulez bien, permettez qu'on le fasse *dans les formes.*

Et tant pis aussi pour les généralités abstraites : les hommes sont ceci, les femmes cela, il ou elle était de telle origine sociale, ils n'avaient pas la même couleur, la même langue, la même religion, la même éducation, les mêmes valeurs, la même valeur, l'incommunicable est de règle... Si l'on écoutait les généralités abstraites, on ne rencontrerait jamais personne. C'est d'ailleurs le cas courant.

Les contemporains de Watteau aimaient déjà, comme leurs successeurs les imposeront encore davantage, les scènes de batailles, les grandes actions, les sentiments héroïques et sublimes, les élévations, la maîtrise, les sacrifices, les nus frigorifiés, les paysages qui déclament, la passion. Comment? Vous n'édifiez pas, vous ne vous plaignez pas, vous ne chantez pas la douleur durable d'une vie durement frappée, la honte des origines, les contresens de l'histoire ; vous ne proposez pas, n'agrandissez pas, ne chagrinez pas, ne montrez pas la voie ? Watteau meurt en effet (on pouvait s'y attendre) : le curé lui présente, à l'agonie, un crucifix bien devant le visage. Et que dit-il, ce mourant de charme ? « Enlevez-moi ça, *il est mal sculpté.* » Même pas un blasphème, un constat. Qu'est-ce qui ne va pas encore ? Ah oui, il ne nettoie pas sa palette, il emploie des huiles trop grasses, il est donc paresseux et pressé, ses tableaux vont s'abîmer, que va-t-il laisser derrière lui, impossible de le raisonner, on dirait qu'il s'en fout, mais alors quel héritage ? Les familles (amis, amateurs) pensent déjà au manque à gagner, à l'effritement de leur capital, aux restaurations coûteuses. L'Indifférent ! Refusant de se mettre dans la seule vraie perspective : celle d'après lui ! Que de toilettes à prévoir ! C'est qu'il faut tout nettoyer de plus en plus : les tombeaux, les toiles. Nous voulons la Sixtine *telle que Michel-Ange la voyait.* Et Masaccio, donc. Nous sommes à la fois les commanditaires, les parents, les papes, le clergé, les conseillers, et en somme l'artiste lui-même. Nous, Assurances H., chaîne de grands magasins W., vous offrons, à vous spectateurs unifiés, des œuvres sans cesse renouvelées, dans leur authenticité ravalée enfin révélée. Les voici, éclatantes, à peine sorties du cerveau et des phalanges du peintre. Comme c'est bien, on dirait la télé ! Et qui oserait prétendre qu'il préfère des tableaux sales, couverts de moisissure, de crasse, d'indifférence, preuves évidentes de l'ignorance et de l'incompétence de ceux qui nous ont précédés ? Quoi ? Vous n'aimez pas cette admirable *crudité* d'Ève en pleine santé, bourrée de vitamines et d'ozone, devenue là, devant vous, par nos soins, un hors-d'œuvre bien frais, tomates, concombres, cornichons, artichauts, carottes, salade ? Vous n'êtes pas exalté par cette Marie-Madeleine enfin saignante alors qu'elle restait jusque-là grise, prostrée, affalée de poussière, dans un coin d'église obscurantiste? Vous vouliez qu'elle continue de palpiter, recluse, dans la clandestinité? Louche perversité, indigne du monde décapant, surexposé et radieux qui s'annonce. Intérieurs propres, sanitaires étincelants, tableaux rutilants. Quoi? Vous chuchotez qu'Adam et Ève chassés du Paradis Terrestre ont l'air, après restauration, de touristes affolés par un incendie de forêt ou de réfugiés exigeant sur-le-champ leur bouteille de Pepsi? Peut-être. Soit. Et puis après? La Bible interdit-elle la publicité? Avons-nous imposé un panneau lumineux dans la nef de Saint-Pierre? Non : tout se passe avec goût, discrétion, efficacité, pour le bien de l'Art comme pour celui des Entreprises. Quels sont les penseurs fumeux qui ont soutenu que l'un ne marchait pas du même pas que les autres? Prenez le repoussoir fasciste ou l'énorme et misérable bazar communiste : eh bien, s'ils n'avaient pas existé, il aurait fallu les inventer. S'il le faut, nous fabriquerons nos nouveaux diables. Qui est candidat? C'est d'un seul mouvement surmontant l'erreur que le marché se développera dans le futur. *L'Enseigne de Gersaint*, de Watteau, a été autrefois choisie pour vanter les mérites de l'*American Express*? Bien vu. Journée de shopping à Paris, Faubourg Saint-Honoré, printemps et paradis des vitrines. Au fait, quels sont les prochains contrats?

Où en étais-je? Ah oui : les rencontres restant des rencontres. Mais alors, vous voulez tuer le roman? Tout le monde sait que les personnages doivent, comme dans la vie, aller, selon une courbe fatale, du premier choc d'aveuglement initial vers le drame, la déception, la désillusion, la disparition. Loi. Pesanteur. Ah, Watteau, elle ne pèse pas lourd, votre histoire!

Watteau, aux Enfers, saisissant la canne de Pâris et brisant le lustre du carnaval dynamique-marchand et de ses mendiantes doublures dépressives-vampires :

– *Non serviam!*
Stendhal : « Tout bon raisonnement offense. »
« L'âpre pédantisme des cuistres morfondus. »

Dictionnaire de la fin du vingtième siècle :
« Watteau (Antoine), 1684-1721 : Rompant avec l'académisme du 17e siècle, empruntant à Rubens et aux Vénitiens, il a développé, dans l'ambiance d'une société raffinée, son art des scènes de comédie et surtout des " fêtes galantes ", genre créé par lui et dont *Le Pèlerinage à l'île de Cythère* est le chef-d'œuvre (Paris, Louvre; réplique à Berlin). Watteau est un dessinateur et un coloriste de premier ordre : sa touche est d'une nervosité originale, son inspiration d'une poésie nostalgique et pénétrante (*Le Jugement de Pâris*, Paris, Louvre; *Les Charmes de la vie*, Londres; *L'Enseigne de Gersaint*, Berlin). »
Si vous n'étiez pas *nostalgique* seriez-vous poète? Et poète *pénétrant*? Avec un luth, je suppose? Portant le soleil noir de la mélancolie?

Proust : « N'imitons pas les révolutionnaires qui par " civisme " méprisaient, s'ils ne les détruisaient pas, les œuvres de Watteau et de La Tour, peintres qui honorent davantage la France que tous ceux de la Révolution. »
Mais qui a dit que nous étions révolutionnaires? Nous ne méprisons pas, nous ne détruisons pas, nous achetons, nous posthumons, nous restaurons, nous montrons!

Conseils-informations minitel :

Vous avez connu des gens connus ou très connus ? Vous voulez écrire vos Mémoires ? Très simple : évoquez des souvenirs les plus plats possibles que tout le monde aurait pu vivre, en employant un maximum de lieux communs dont n'importe qui pourrait se servir. Résultat : ils sont comme nous, nous sommes comme eux. Succès.

Vous voulez savoir ce que pensent désormais les intellectuels ? Leur dernière ambition, après celle de l'apologie salutaire des Droits de l'Homme, est la défense de la complexité de pensée contre les simplifications abusives, les stéréotypes et les clichés générateurs d'exclusion et d'intolérance. Question : que doivent faire les intellectuels ? Réponse : défendre la complexité. Objection : mais si vous répétez tout le temps la même phrase, y compris celle-là, ne devient-elle pas un cliché ? Réponse : et alors ?

Combien d'auteurs écrivent encore eux-mêmes leurs livres ? Est-ce bien raisonnable ? Faut-il faire une étude de marché avant d'écrire ?

Réponses : 1) Très peu. 2) Pas raisonnable. 3) Évidemment.

Vous vous préoccupez des activités de la Mafia ? Vaste problème. Très vite : l'économie stagne ? Inflation ? Chômage ? Perte de crédibilité du film ? Déclenchez un conflit. Cela fouette la Bourse qui avait tendance à s'endormir. Redémarrage de la vente d'armes, vive émotion populaire (n'oubliez pas les gros plans sur les familles des soldats au pied des bateaux de guerre – on peut louer des familles entières pour le reportage –, ni sur les manifestations de soutien à tel ou tel parti). Trouvez chaque fois un gadget nouveau : hélicoptères, mines, chars, missiles, masques à gaz, etc. Ou bien : décrétez une lutte impitoyable contre la drogue, en soutenant ouvertement la nouvelle mafia contre l'ancienne. Exemple amusant : on vient de découvrir que plus de la moitié des yachts luxueux ancrés à Palerme n'appartiennent pas à leurs propriétaires déclarés. Un marchand de fleurs ambulant possédait ainsi un superbe navire. A suivre.

Les rencontres qui restent des rencontres jouent sur *le point* : physique, mental, social, historique. Le sexe est une question de point dans le point. Ce détail-là, précis, enfoncé qui touchera une seule personne à un seul moment. Plusieurs personnes, plusieurs points. Pas des masses dans une existence. Deux? C'est beaucoup. Sept ou huit? Une avalanche. Le reste est ligne, surface, pli, décor, feuilleton, feuilletage. Le point : valeur d'usage, répétée, sans fond. Autrement : valeur d'échange. La peinture est pareille : on achète la surface pour nier le point. Le point d'usage est un présent infini. Or l'infini...

– ... est l'affirmation absolue de l'existence d'une nature quelconque.

– Merci Spinoza.

– La valeur d'usage est interdite?

– Il faut qu'elle ne soit même plus soupçonnée.

– Qui décide?

– Personne, automatique.

– L'usage de son propre corps, l'usage de soi?

– Idem. Haine constante de l'original.

– ... de son intimité, de ses désirs, de ses rêves?

– Pas de quartier, expropriation générale. Amnésie et robotisation en boucle. Impossible à empêcher et à démontrer puisque le phénomène est « en soi ». Pas de coupables, donc pas de victimes; ou plutôt tous coupables, tous victimes. Ce qui ne veut pas dire que le système ne brandit pas de temps en temps un grand méchant loup pour cause de nécessité de massacres. L'esclave ferait la même chose que le maître s'il était à sa place, air connu. La même chose en moins bien, d'ailleurs. De moins en moins bien ? Peut-être, mais de plus en plus fort.

– Pourtant, ces œillets existent ?

– Pour toi et moi, à l'instant.

– A l'infini ?

– Si tu veux. Tout usage étant de plus en plus interdit, l'usage conscient de soi, gratuit, prend des dimensions de vertige. On peut aller jusqu'à extase si le mot ne te fait pas peur.

– Si.

– Alors, on l'efface.

Luz mange son poisson et boit son verre de vin blanc avec appétit. Elle allume une cigarette :

– Interdit de fumer ?

– Par exemple.

(Et une femme ? Usage ou échange ? Les deux et, la plupart du temps, elle ne sait pas de quel côté elle se trouve. Clé de l'hystérie, haine de soi.)

– Mozart, si nous faisions un enfant ?

– Oh, monsieur.

– Si, si, ça me ferait plaisir. Il y a longtemps que je voulais vous le proposer, il n'y a pas que le business, que diable, il faut aussi songer à la création. Enfin, vous pouvez passer à la clinique quand vous voulez.

– Laquelle, monsieur ?

– Tout dépend de la ville où vous vous trouverez. Enfin, une de celles du Groupe, bien sûr. Demandez le service du docteur Stock, il y en a un dans chaque établissement. Ils sauront quoi faire. Ils me tiendront au courant.

– Merci, monsieur.
– Et rappelez-moi de vous inviter à déjeuner un de ces jours.
– C'est trop gentil, monsieur.

Le vrai... Le faux... Le vrai-faux ou le faux-vrai... Tango-valse... Supposez que vous organisiez un attentat terroriste d'État. Lequel? Circonstances. Il y aura alors un raffinement particulier à vous faire dénoncer par une partie de vous-même, mais de telle façon que cette dénonciation apparaisse comme absurde ou fausse. Vrai-faux-vrai en passant, presque pour le plaisir. Qu'est-ce que la vérité? a dit une fois quelqu'un à quelqu'un d'autre qui, paraît-il, a cru préférable, à ce moment-là, de se taire. Vrai-vrai-faux... Faux-faux-vrai... La liste peut s'allonger indéfiniment, elle établit d'elle-même la hiérarchie initiatique de ceux qui peuvent la comprendre, elle tend vers une belle expression juridique : *non-lieu*. Rien n'aura eu lieu que le milieu du non-lieu. « Ah, monsieur, si vous saviez le nombre de vrais faux qu'il y a dans les musées, les collections, les galeries, les ventes! – Eh bien, tant pis, enchaînez! »

Richard tient à son projet de clonisation générale, il prétend que les moyens de reproduction spéciaux japonais et allemands sont désormais indécelables à l'œil nu. Il veut *retourner* le Louvre. Conversation, la nuit, dans la grande galerie solitaire et glacée :

Dürer :

– Mais tu crois vraiment que personne ne remarquerait le remplacement? Le public, d'accord, mais un spécialiste, un conservateur, un critique...

Andy :

– Allons, ils ont autre chose à faire. Froissart, qu'est-ce que tu prends? *Le Jugement de Pâris*? *L'Indifférent*? *La Finette*? Décide-toi. Les temps sont venus.

Le *Player II* et le *Sea Sky* sont là, battant pavillon anglais, au coin du rio San Vio. Sur le *Player*, un couple (vrai ou faux?) et deux petits garçons blonds. Sur le *Sea Sky* deux types dont s'occupera Richard qui vient d'arriver de New York (il a fallu remplacer Guillermo au dernier moment). Le transbordement est prévu pour après-demain dans la nuit, après les dernières tractations secrètes (Geena et Nicole).

La femme du *Player* est anglaise, trente ans, sportive, blonde (mère des enfants), plutôt jolie. J'ai revu tout de suite la grande écriture fine du fax de Geena, à New York, quand elle m'a dit : « Froissart? Cézanne. »

Bienvenue, Cézanne (en réalité elle s'appelle Élodie, et le type avec qui elle est, Walter, nom de code : Roy). Bonnes nouvelles de Mozart? De Dürer? Excellentes. Oui, Andy est là.

On dirait un rêve, et c'est un rêve. Qui me croira si je le raconte? Et qui croira que le bateau du Consulat de France à Venise (il passe à l'instant devant moi, venant de l'aéroport Marco Polo, avec à bord deux employés, dont on aperçoit les revolvers sous les vestes bleu sombre, convoyant la mallette diplomatique et des fonds importants) s'appelle *La Nouvelle Héloïse*? Pourtant, c'est ainsi. Vous pouvez vérifier. Pourquoi pas, tant que vous y êtes, *La Chartreuse de Parme*, avec le dialogue suivant : « Monsieur Stendhal, vous oubliez votre arme. – Ah oui, pardon. »

Ici, objections réalistes :

1) Est-il vraisemblable qu'une brillante jeune femme amé-

ricaine, étudiante en astrophysique parte comme ça, en vacances à Venise, avec un monsieur français qu'elle connaît à peine, vive avec lui, n'ait pas connaissance de ses activités douteuses ou bien préfère ne pas poser de questions, partage son existence renfermée sur fond de rêveries littéraires et philosophiques (et, si nous lisons bien, de cocaïne), tout en sachant qu'elle ne le reverra probablement pas deux mois plus tard ?

2) Peut-on concevoir que des affaires aussi sérieuses et professionnelles, relevant après tout du grand banditisme international, soient confiées à des amateurs inconséquents (même s'ils changent d'identité deux fois par an), au risque de voir s'évanouir des montagnes d'argent et se déchirer une trame politico-financière aussi fragile que puissante, rigoureuse que coûteuse ?

A quoi l'on peut répondre :

1) L'éminente lectrice ou l'éminent lecteur, ou critique, salarié de la partie visible de l'iceberg, ne veut pas connaître le monde contemporain, se contente de clichés des romans plus ou moins policiers produits par l'industrie du spectacle, chargés d'entretenir son ignorance et celle de ses partenaires affectifs, sexuels et sociaux.

2) Les nouveaux délinquants « innocents », comme on les appelle désormais, outre qu'ils ont l'avantage, pour la plupart, de n'avoir aucun casier judiciaire, sont des spécialistes des jeux, souvent issus de l'extrême gauche dissolue et dissoute des années soixante-dix. L'éminent salarié pseudo-lecteur critique, l'éminente salariée lectrice pseudo-critique, ne les a pas connus, sauf par ouï-dire, ne sait rien de leur vie réelle, les juge donc avec la même sévérité que leur époque qui s'est appliquée à les déconsidérer sans cesse dans tous les domaines, et c'est justement ce qu'il fallait pour constituer d'excellents agents (très bons instructeurs, en outre, des générations suivantes).

Voilà plus d'un siècle et demi que Stendhal faisait appel, en désespoir de cause, au « lecteur bénévole », c'est-à-dire, il le savait, presque plus personne. Préface à Lucien Leuwen, *Cityold* (Civita-Vecchia), 1835 : « Adieu, ami lecteur, songez à ne pas passer votre vie à haïr et à avoir peur. »

Depuis cet éclair dans la nuit, la propagande à propos du roman a été constante : vie directe interdite, « entre l'écriture et la vie, il faut choisir », catéchisme Flaubert : « La vie humaine est une triste boutique, décidément, une chose laide, lourde et compliquée. L'art n'a pas d'autre but, pour les gens d'esprit, que d'en escamoter le fardeau et l'amertume. » (Ce que Sartre – engagé lui-même dans une autre impasse, il est vrai – avait raison de commenter par : « Comme les orgies aristocratiques étaient au-dessus de leurs moyens, ils remplacèrent la joyeuse dilapidation des richesses par la négation systématique de la réalité. ») Mais si je dis que le roman est un passage entre la vie et la vie, une passerelle tendue d'un moment à un autre, d'un lieu de moment à un autre lieu de moment? Qu'il est un acte comme un autre de la vie dont voici les acteurs, les actrices, formés dans notre atelier ou studio spécial? Ils continuent leurs aventures après la narration, figurez-vous, leurs méfaits ne s'arrêtent pas là, de même qu'ils existaient différemment avant elle. Narration : écart, saut, déclivité dans la chute et l'épanouissement des corps, *clinamen.* Luz à Los Angeles, Geena et Richard à New York, Nicole et moi à Paris, tant d'autres. Pourquoi tomberaient-ils sous le coup de la malédiction prononcée, avec tant d'obstination et de rage, contre la vie, et se plieraient-ils à la règle morose du roman *devant* raconter l'échec forcé de la vie? Alors que chaque minute, chaque mètre carré ou cube, gagné comme liberté de temps et d'espace, constitue, pour tout individu, la seule vraie guerre révolutionnaire? Dites-nous cette guerre, et cela suffit.

Je ne suis pas l'enfant de ce siècle. Je n'ai pas été engendré par le fameux couple monstrueux de bande dessinée fascisme-stalinisme (lequel m'a couru après depuis ma naissance pour *m'adopter*) ; je ne suis pas davantage la progéniture effarée et funèbre, bloc étriqué chu d'un désastre obscur, du siècle d'avant. Si je me sers du dix-huitième siècle (adieu dix-neuvième, adieu vingtième), c'est juste pour respirer, voyez-vous. Le vingt et unième siècle sera le renouveau, et l'approfondissement inattendu dans tous les sens, des Lumières, ou ne sera pas. Cela dit, le roman instantané peut se passer n'importe où, n'importe quand, et aussi bien en restant immobile dans une chambre de province, à vous de le démontrer. Il n'est pas nécessaire d'être embarqué dans l'histoire d'un Watteau transitant par Venise, d'habiter un petit palais rose et blanc sous le soleil, d'être allongé sur une terrasse dominant le trafic du port ou assis dans un jardin avec piscine, près d'un sarcophage des débuts de notre calendrier, au milieu des acacias, des lauriers, des rossignols, des œillets et des roses. Mais si tel est le cas, faut-il s'excuser ? Inventer une angoisse existentielle, en banlieue ou en noir et blanc, comme si j'étais yougoslave, hongrois, allemand, autrichien, tchèque ? « Vous n'avez pas le droit d'écrire puisque vous vivez. » Tel est depuis fort longtemps le dogme nihiliste. Vous vivez ? Quelle horreur. Et, en plus, *des femmes traversent le paysage* ? Sans pleurer ? Sans devenir folles ? Sans se suicider ? « On ne peut pas vivre et écrire, on ne peut pas tout avoir. » Mais quelle est cette Loi ? Qui l'a promulguée ? Est-elle inscrite dans le firmament ? Descend-elle du Sinaï ? Du Golgotha ? A-t-elle été dictée à La Mecque ? Et pourquoi devrais-je la respecter ? *Les Charmes de la vie* : valeur d'usage. Faut-il de l'argent ? Pas tellement. Maladie et santé, vertu et vice : vous voulez en somme gagner *sur tous les tableaux* ?

Tous les tableaux.

En 1727, six ans après la mort de Watteau, *Le Mercure de France* hésite avec gravité : Watteau était-il plus doué que Chéron ou Santerre? Ça se discute. Après tout, le Régent ne l'a pas reconnu, Voltaire va le dédaigner, Diderot le méprise déjà. Sa chance éventuelle de survie est d'être mort jeune, au même âge que Raphaël et Mozart. Le groupe humain aime bien le scénario de transposition christique. Que serait-il devenu, qu'avait-il encore à nous dire, aurait-il enfin développé ses qualités tragiques? Hélas la tombe a emporté ce génie alors qu'il commençait à entrevoir la Terre Promise, c'est-à-dire la maturité. Tant mieux, tout compte fait, il était bien encombrant, n'avait pas très bon caractère, se brouillait avec ses amis pour des broutilles, aurait fait un mauvais époux et un père exécrable, la coupe était pleine, il n'aurait fait que creuser l'écart entre lui et nos laborieuses réalisations. Aurions-nous fini par l'assassiner? Ne nous tentez pas.

Qui va aimer Watteau par la suite? Reynolds, Ingres, Delacroix, Turner, Monet : techniciens lucides. Et puis Gautier, Baudelaire, Nerval, les Goncourt, Verlaine, Louÿs, Proust, avec, comme condition, le plus souvent, la grille nostalgique, l' « infinie tristesse ». Encore aujourd'hui, je lis : « Pour avoir introduit dans la peinture cette note triste et sentimentale à laquelle tant d'amateurs ont été sensibles, Watteau a droit à une place de choix dans le panthéon des artistes. » C'est vraiment trop gentil. Ou encore : « Le monde de Watteau, statique par excellence. » Opinion qui ne fait que rejoindre celle de Caylus, en 1748 : « Ses compositions n'ont aucun objet. Elles n'expriment le concours d'aucune passion, elles sont par conséquent dépourvues d'une des plus piquantes parties de la peinture : je veux dire l'action. »

Votre action ne me plaît pas, donc elle n'existe pas. Ou bien : l'action détendue, développée sans effort de ces tableaux joyeux et voluptueux me trouble et me choque profondément. Un tel univers est donc impossible. Par conséquent : 1) il ne s'y passe rien ; 2) comme cependant les toiles persistent, je leur ordonne d'être tristes : elles le deviennent illico.

Variante : pourquoi *Le Pèlerinage à l'île de Cythère* est-il si mélancolique ? N'est-ce pas qu'au lieu d'un embarquement, il s'agit d'un retour ? Ces couples ne *vont* pas vers le lieu de l'amour, ils en *viennent*. D'où leur désespoir, leurs gémissements, leurs sanglots (l'escargot invisible grippé dans le buisson, le moineau poitrinaire caché dans les branches) : qu'y a-t-il de plus insatisfaisant que l'acte amoureux, source de tant de remords et de cauchemars primitifs ? Bien entendu, Watteau n'a pas peint directement cet abattement sombre, mais il est, de toute évidence, implicite. Et voilà pourquoi ce tableau est un des plus subtilement sinistres de tous les temps.

Au fond, le, ou la, critique semble toujours craindre que sa, ou son, partenaire aille le, ou la, tromper dans tel roman ou dans tel tableau, comme s'il était particulièrement pénible de se livrer *là* à des ébats répugnants et coupables. Attention aux mots, aux images ; attention aux rapports entre eux !

C'est donc après une longue bataille de 170 ans (imaginez que ce livre ne puisse être réellement lu qu'en 2160, et pourquoi pas), bataille menée avec détermination par des tireurs isolés ou des amateurs terroristes, qu'il devient enfin impossible de se débarrasser de Watteau. Disons : après 1890, année où Van Gogh, suicidé de la société, commence *post mortem* son ascension messianique. Certes il est maintenu artiste *mineur*, Watteau (il n'aura jamais la grandeur et la véhémence sublime de Rubens, etc.), mais enfin, mineur en majeur. Il faut s'en arranger, il peut dormir éternellement tranquille (je n'ai pas été, j'ai été, je ne suis pas, je ne m'en soucie pas). Même Claudel est alerté le 18 décembre 1939 (comme quoi les veilles de grandes destructions peuvent parfois porter conseil) par *L'Indifférent*, « messager de nacre, avant-courrier de l'Aurore ». Le même Claudel n'avait pourtant pas hésité, dans son *Journal*, en 1925, à écrire cette énormité révélatrice : « Une femme n'est intelligente qu'au détriment de son mystère. J'ai toujours détesté par-dessus tout le type de femme intelligente du dix-huitième siècle, la Française piquante. La collection des La Tour au Louvre m'a causé une véritable horreur. »

Eh bien voilà! Vous l'avez dit! Et tous les poètes autoproclamés avec vous! Coupons-lui la tête et mettons-la au bout d'une pique, cette « Française piquante ». « Une femme n'est intelligente qu'au détriment de son mystère » : Dieu nous préserve d'un tel *mystère*! La Tour (Maurice Quentin de), 1704-1788, et pas l'autre, Georges, le nocturne médiéval à bougie, bien sûr.

Vous dites que la Française piquante s'est réincarnée là-bas, au bord du Pacifique, au contact des galaxies, des ordinateurs, des émulsions de matière cosmique, du tennis, des piscines et des équations? A travers un mélange italo-suédois au prénom espagnol? Et que son *mystère* n'en souffre pas, au contraire? « Mais si le 21e siècle n'est pas ce que vous annoncez? S'il est essentiellement religieux et métaphysique, comme d'autres prophètes nous l'ont assuré? – Eh bien, nous attendrons le 22e, le 23e ou le 30e, nous ne sommes pas pressés, les Grecs ont bien disparu pendant mille ans. – Mais la fin du monde? L'Apocalypse? – Allons, allons.

– Tout cela est bien joli, mais comment des individus de ce

genre pourraient-ils exister dans l'avenir? Où en voyez-vous les germes?

– Ici même.

– Mais tout semble annoncer le contraire.

– Et le contraire du contraire.

– Est-ce réellement envisageable?

– Deux réponses possibles : 1) J'espère que non. 2) Je le souhaite. Je l'ai constaté, je le souhaite. Au temps de juger.

– On a l'impression que vos vrais personnages sont surtout Watteau et Stendhal : il s'agit donc du passé?

– Je me suis mal exprimé. J'avais envie de montrer que Watteau et Stendhal sont, par un certain côté *très personnel,* " de toujours ", et qu'il y aurait toujours des types de ce toujours. Cette évidence me paraissait obscurcie. Cela dit, d'accord pour la suite. »

(Froissart se contente-t-il de regarder Luz dormir? Ne se passe-t-il pas autre chose? Que ressent-il dans la nuit en touchant sa peau tiède, ses joues, son cou, ses seins, ses fesses, ses cuisses, ses jambes, ses bras, ses mains, ses pieds, ses oreilles? Aime-t-il l'embrasser? Sur les yeux? Dans la bouche? Qu'éprouve-t-il en la peignant à l'aveugle, au nez, sur cette paroi de caverne impalpable, pendant que la ville, en contrebas, s'enveloppe dans ses canaux lumineux et noirs?)

– Je suis de Lascaux.

– Les grottes?

– Montignac, dans la Dordogne. Je pourrais te montrer : merveilleux paysage gris-vert-argent, ma famille a encore un petit terrain abandonné à pic sur la Vézère, avec un grand rocher, dans l'herbe. Cimetière aux noms presque tous effacés. Et, en dessous, moins dix-sept mille ans de peintures pariétales découvertes en septembre 1940. Année cruciale à cause de ça. Il a tout fallu fermer en 1963, la respiration humaine infectait la pierre, invasion d'algues. En 1984, on a construit à côté un *fac-similé* pour le public. Belle fable, non? Les vrais cerfs, taureaux, chevaux, bouquetins, aurochs, vaches, bisons sont rebouclés. Ils poursuivent leur voyage millénaire sous terre, rouges, blancs, noirs, bombés et mobiles, spectres d'air, beaux comme des Watteau.

– Ou des Courbet?

– Oui, *La Grotte humide*. Il est passé en vente il n'y a pas si longtemps. Un trou dans la roche et un filet d'eau, des espaliers sur le bord, deux pierres têtes de mort en train de s'embrasser étroitement à l'entrée, grande contraction vaginale graisseuse, ocre et courbe, signature bien visible en rouge : G. Courbet. Même inspiration que *Le Torse*. Où est-elle passée?

La préhistoire (c'est moi, caillou, qui vous parle) aborde donc le troisième millénaire, avec beaucoup de tranquillité. Comme un trou noir, en somme. Il sera toujours temps d'aller à la recherche du temps perdu, et de revenir, avec Proust, à Venise. Tiens, cent trente-sept lettres de lui sont en vente au Sporting d'Hiver de Monte-Carlo. Non? Si. Et très intéressantes, dans la mesure où elles ont échappé à la famille, ce qui veut dire qu'elles s'adressent à Reynaldo Hahn. Avec lui, Proust conclut en général par : « Votre poney Marcel. » N'est-ce pas charmant? Il écrit aussi au chien de Hahn qui s'appelait Zadig. Six cent mille francs au départ pour ce mot à Robert de Montesquiou : « Vos vers ont le miel mystérieux dont les rayons ont la douceur du ciel. » N'importe quoi de gentil. Ces phrases en vente au Sporting d'Hiver? Tout est possible. Il s'agit donc de s'organiser des catacombes agréables en plein air.

Silence.

– Bonne mémoire?

– Oui.

Alors, n'oublie pas :

– L'allée aux chats et sa grille, l'odeur de chèvrefeuille en fin de soirée.

– La grande porte de bronze de la Salute, la nuit, et le son qu'elle évoque.

– Le motoscafo *Desdemona,* à quai sur le Grand Canal.

– Le banc rouge, sur le ponton, en face de la *Società Canottieri Bucintoro,* fondée en 1882, en face de San Giorgio.

– Le trois-mâts *Activ,* lui aussi de Gibraltar, ancré à côté de la Douane.

– Le banc rouge, sous l'acacia, sur le Campo San Vio.

– La terrasse, bourrée d'antennes tout en haut du conservatoire Benedetto Marcello, grand palais gris-blanc impossible à visiter de fond en comble, qui a toujours l'air abandonné, *et où pourtant des gens vivent.*

– Encore un banc rouge, dans l'ombre, sur le Campo San Agnese, en face des Gesuati.

– La *convexité* de l'eau verte qui devrait déborder les jours d'orage, et qui reste là, en équilibre, comme pour étonner l'œil et lui faire sentir sa relativité.

– Le Ponte Ca' Balà qui, comme son nom l'indique, est le plus beau pont de Venise.

– La petite en jogging mauve, avec son walkman, courant et se mettant à danser pour elle seule, de temps en temps, sur les quais.

– Le mot *giornata* qui dure beaucoup plus qu'un jour, qui est une année dans un jour : « una splendida giornata ».

– Quand tu as dit : « la lune est aspirée par la brume », sur le Zattere Al Spirito Santo.

– Le bar-piano-discothèque *Linea d'Ombra* (*Shadow line,* sur les tickets), au pied du Ponte dell'Umiltà, le 30 juin à

20 h 45, chaleur, voix de Sarah Vaughan, et la chose sale que tu as dite en riant.

– Le beuglement des Transats dans le brouillard, parfois, le matin, les lauriers du jardin, en ouvrant les volets, pris dans la brume.

Par exemple.

Tout cela peint à même la réalité, dans son souffle et s'il le faut, j'emporte les grottes avec moi, les chapelles, l'envers des musées où sont concentrées les âmes, le *non-reproductible* en soi. Expliquez-moi pourquoi vos expositions mondiales sont si réussies, catalogues scientifiques et moyens de sécurité uniques, alors que les reproductions salopent à ce point la couleur : Michel-Ange rouillé, Titien noirâtre ou jaune rance... Plus les tableaux sont lavés et modernisés, plus les photos sont vieillottes, lourdes, malveillantes, en deuil. La technique toute-puissante ne peut donc pas répondre de ce petit problème ? Ou alors, c'est *exprès* ? Pour ne pas vexer les consommateurs à domicile ? Ou plutôt : vous ne vous en rendez même pas compte ? Vous avez tout simplement cliché votre propre nature chromo spontanée ?

Antoine de la Roque (1721) : « La grâce dans les airs de têtes de Watteau, principalement dans les femmes et les enfants, se fait sentir partout... Les ciels de ses tableaux sont tendres, légers et variés, les arbres sont feuillés, disposés et placés avec art, les sites de ses paysages sont admirables et ses terrasses d'une vérité naïve, aussi bien que les animaux et les fleurs. La carnation de ses figures est animée et douillette, les étoffes de ses draperies sont plus simples que riches, mais elles sont moelleuses, avec de beaux plis et des couleurs vives et vraies. »

(Bravo : ce contemporain est contemporain.)

Jean de Julienne (1726) : « Il était de moyenne taille et de constitution faible. Il avait l'esprit vif et pénétrant, et les sentiments élevés. Il parlait peu mais bien, et écrivait de même. Il méditait presque toujours, grand admirateur de la nature et de tous les maîtres qui l'ont copiée. Le travail assidu l'avait rendu un peu mélancolique, d'un abord froid et embarrassé, ce qui le rendait parfois incommode à ses amis et souvent à lui-même; il n'avait d'autre défaut que l'indifférence et d'aimer le changement. »

(Respect, mais apparition du mauvais caractère.)

Gersaint (1744) : « A son retour à Paris, il vint chez moi me demander si je voulais bien le recevoir, et lui permettre, *pour se dégourdir les doigts,* ce sont ses termes, de peindre un plafond que je devais exposer dehors... Ce fut le travail de huit jours... Un objet qu'il voyait quelque temps devant lui l'ennuyait, il ne cherchait qu'à voltiger de sujet en sujet. »

(La légende d'instabilité se renforce.)

Caylus (1748) : « Il n'était pas sitôt établi dans un logement qu'il le prenait en déplaisance. Il en changeait cent et cent fois, et toujours sous des prétextes que, par honte d'en user ainsi, il s'étudiait à rendre spécieux. Là où il se fixait le plus, ce fut en quelques chambres que j'eus en différents quartiers de Paris, qui ne nous servaient qu'à poser le modèle... La pureté de ses mœurs lui permettait à peine de jouir du libertinage de son esprit. »

(Instable, peut-être, mais n'allez pas croire qu'il a fait ce qu'il a peint.)

Taillasson (1802) : « Peut-être aujourd'hui est-ce un crime de parler de Watteau... Sans doute ses personnages n'ont pas la fière et haute vérité des guerriers et des philosophes austères; ils n'ont pas la bonhomie des bourgeois, ni la touchante simplicité des habitants des campagnes; ils ont la vérité qu'ils doivent avoir, celle des héros galants, des hommes de plaisir, celle des comédiens, des musiciens, des danseurs, et de tous ceux qui passent leur temps à s'amuser en amusant les autres, de tous ceux dont les études ne se sont pas faites dans des cabinets retirés, à la clarté des lampes solitaires, mais dans des lieux éclairés de cent bougies, au milieu d'un peuple nombreux, et au bruit tumultueux des battements de mains. Qui a peint comme lui ces assemblées charmantes dans lesquelles les deux sexes s'attaquent avec tout ce qui peut briller aux yeux, où tout, jusqu'à l'esprit, jusqu'au sentiment même, a un air de toilette, où le ridicule est le seul vice, l'art de plaire la seule vertu... Après avoir fait beaucoup d'ouvrages, épuisé par son génie et par les plaisirs qu'il avait peints, Watteau mourut jeune, laissant une grande réputation qui, depuis quelques années, a perdu une partie de l'éclat dont elle avait brillé, et que lui rendront sans doute un jour nos neveux reconnaissants. »

(Sans doute Taillasson est prudent, bien que représentant de la peinture néo-classique officielle : il écrit peut-être cela pour embêter David en plein sacre de Napoléon.)

Lecarpentier (1821) : « Arrivé jeune à Paris, vers la fin d'un règne qui fut grand et glorieux, auquel par un brusque passage devait succéder l'empire de la folie, à cette époque où elle se répandit sur un pays où la licence allait succéder à l'extrême dévotion, où on la vit agiter ses grelots jusque dans la cour... il était naturel qu'un peintre dont l'imagination n'enfantait que des scènes galantes et voluptueuses, fût reçu favorablement de ses contemporains. »

(Ces contemporains fous n'arrivaient pas à produire un grand siècle, raison pour laquelle – et Watteau avec eux – ils ont été justement punis.)

Vivant Denon (1829) : « Il avait l'harmonie vraie de toute l'école vénitienne... Le hasard lui fit connaître les acteurs de la Comédie Italienne que le gouvernement venait de faire venir d'Italie. Il en fit sa société intime, et dès lors il ne fit plus que des arlequins, des colombines, des docteurs et des gilles, ce qui fait que la plupart de ses délicieuses productions sont devenues comme la mauvaise compagnie pour les cabinets où règne la gravité du style. »

(Watteau a eu de mauvaises fréquentations italiennes, l'idée du « carnaval » est lancée. Pourtant, le vieux Vivant Denon, à la si étrange carrière sous Robespierre, Napoléon et Louis XVIII; ce spécialiste de l'art égyptien, mort en 1825, qui se rappelle peut-être avoir publié dans sa jeunesse *Point de lendemain,* veut bien sauver, non sans nostalgie, *L'Embarquement pour Cythère* : « Tout respire l'amour, l'air en est empreint, c'est lui qui enfle les voiles des bâtiments... »)

1830 : Stendhal publie *Le Rouge et le Noir.*

Le 20 juin 1832, on s'en souvient peut-être, le même Stendhal, à Rome, « forcé comme la Pythie », écrit que ses futurs lecteurs ont dix ou douze ans. « Les yeux qui liront ceci s'ouvrent à peine à la lumière. » Neptune n'était pas encore découvert. Finalement, il remettra la possibilité de la lecture de ses livres à la moitié du siècle suivant : il pourrait recommencer cette prévision aujourd'hui, et ainsi de suite.

Il est midi, Luz vient de rentrer, le soleil brille sur les téléphones gris, et le roman est aussi un jugement filigrané sur l'Histoire. Vous en doutiez? Moi pas. Je n'aime pas les épinards, j'adore Saint-Simon, le cardinal de Retz reste une passion durable (« Je suivis ma pointe et je trouvai des commodités merveilleuses »), je ne suis pas fou de tout ce qu'écrit Stendhal, mais le plus souvent, oui : « Chaque fois que j'allais pisser derrière ces tilleuls au fond du jardin, mon âme était *rafraîchie* par la vue de ces amis. Je les aime encore après trente-six ans de séparation. » Ou ceci : « Il paraît que je ne voulais pas qu'on jetât de la terre sur la bière de ma mère, prétendant qu'on lui ferait mal. » Ou ceci enfin (éternelle affaire) : « Immoral parce que j'ai écrit des femmes dans *L'Amour* et parce que, malgré moi, je me moque des hypocrites. »

– En somme, vos personnages ne sont pas coupables?

– Plus les gens, par conformisme, seront corrompus et platement criminels, et plus *ceux-là*, justement, seront innocents et honnêtes, pour finir en seuls philosophes d'une époque anormale sans précédent.

C'est en juin 1777 que paraît *Point de lendemain,* dans les *Mélanges littéraires, ou journal des dames,* avec, pour signature, M.D.G.O.D.R. (initiales de : Monsieur Denon, Gentilhomme Ordinaire du Roi) :

« Il en est des baisers comme des confidences : ils s'attirent, ils s'accélèrent, ils s'échauffent les uns par les autres. En effet, le premier ne fut pas plutôt donné qu'un second le suivit; puis un autre : ils se pressaient, ils entrecoupaient la conversation, ils la remplaçaient; à peine enfin laissaient-ils aux soupirs la liberté de s'échapper. Le silence survint, on l'entendit (car on entend quelquefois le silence) : il effraya. »

Ou encore :

« L'obscurité était trop grande pour laisser distinguer aucun objet; mais à travers le crêpe transparent d'une belle nuit d'été, notre imagination faisait d'une île qui était devant notre pavillon un lieu enchanté. La rivière nous paraissait couverte d'amours qui se jouaient dans les flots. Jamais les forêts de Cnide n'ont été si peuplées d'amants, que nous en peuplions l'autre rive. Il n'y avait pour nous dans la nature que des couples heureux, et il n'y en avait point de plus heureux que nous. »

La déesse de Cnide : Aphrodite. *Le Temple de Cnide,* de Montesquieu, date de 1725.

Le grand *Gilles* de Watteau, aujourd'hui au Louvre depuis 1869, et dont la signification est si mystérieuse, n'a réapparu qu'en 1804 quand Vivant Denon l'a acheté pour 150 ou 300 francs place du Carrousel, malgré les reproches de David (« mauvaise compagnie pour les cabinets où règne la gravité du style »). Cet homme a toujours su ce qu'il faisait.

Richard lui aussi est armé, il parle peu, tout le temps avec Élodie-Cézanne (j'aimerais bien savoir pourquoi elle a choisi ce nom). J'ai dû déplaire, là-bas, avec Luz, même si Geena me sait plus que prudent. Ou bien les affaires ne vont pas au mieux, la belle époque fléchit, le dollar hésite avant de remonter comme d'habitude. Mais mon intention était de m'en tenir là, pas grave. Si j'écris cette histoire, aucun problème non plus. Lettre volée, bien en évidence jamais repérée. Entretemps, tout le monde aura changé d'identité, on se sera dispersés. De quoi parlez-vous? Bon, aimable invention, passetemps d'écrivain. Froissart? Mais qui s'est jamais appelé Froissart? Et venez donc voir la calle di Mezzo : certes, elle existe, mais y a-t-il jamais eu, là, un palais, même petit, un jardin, un sarcophage, une piscine? A-t-on enregistré le passage d'un *Sea Sky* allant de Londres à Chypre, d'un *Player II,* en croisière de Gibraltar à Capri? Peut-être, mais pure coïncidence. Nous savons ce qu'il fait et comment il vit. Une jeune Américaine, Luz? Non, pas signalée. La police est si bien faite, on peut avoir en elle une confiance aveugle, pas la police-police, bien sûr, mais celle des ondes de l'air, du on-dit. Quoi? Un tableau non répertorié de Watteau en bateau? *La Fête à Venise*? A Venise? Allons, allons, on vous a menés en bateau.

Nous, on ne sera plus là, pas vrai, Luzita? L'agitation, le trafic, les guerres, ne s'arrêteront pas, début de siècle, fin de siècle, débuts de siècles, fins de siècles, systole-diastole, on se sera rencontrés dans l'*énorme* tapisserie des formes, on aura fait un crochet, une boucle, filaments d'atomes renvoyés dans l'ombre, apparus, désapparus, ni vus ni connus.

Et alors? Le ciel?

Pour l'instant, il pleut, la ville est derrière le rideau, c'est bien notre chance, on reste allongés sur le lit de ta chambre, je vais tous les quarts d'heure à la fenêtre, je me répète cette phrase de je ne sais plus lequel de ses contemporains sur Watteau : « Il voulut vivre à sa fantaisie et même obscurément. » Je pense aussi aux interminables après-midis de pluie, vacances d'enfance à Montignac, rivière encaissée verte et noire, comme le temps est grand, comme il s'offre, si on le mérite, comme il s'aime fort.

Il pleuvait comme ça sur Amsterdam Avenue, cet hiver, chaussée défoncée, lacs boueux, camions, taxis, une ambulance; je revois la cabine téléphonique, pieds dans l'eau, mallette serrée entre les jambes, je donnais rendez-vous à Geena au *Carlyle*. Le chauffeur haïtien du taxi, ensuite, s'appelait Joseph Edison, il écoutait, radio hurlante, le deuxième concerto pour piano de Beethoven, après quoi, long discours confus sur la ville pourrie de maladie et de drogue, le retour imminent de Jésus-Christ terrassant les marchands du Temple. Cubes de New York, miroirs de Venise... « Le verre moderne contient du fer : épais, il devient vert. » Première nuit chez des amis, sur un canapé, juste sous le *Park Rosenberg* de De Kooning : il faudrait dormir sous les tableaux, sommeil dans les églises ou les musées, mon rêve. Vous avez bien un studio pour moi au Louvre, à Versailles, au Palais Ducal? Je serai très discret, c'est promis. Premiers contacts : jardin IBM Atrium, Trump Tower : près des bambous, devant les tulipes.

Le soleil revient vers quatre heures. Les voiliers lents sortent, les hors-bords dressés sur l'eau les évitent à toute allure, la prairie de l'eau a tourné au bleu. Les deux bateaux se balancent tranquillement l'un à côté de l'autre, même drapeau.

– Tu viens prendre un verre tout à l'heure sur le *Player II*?

– Je ne dérange personne?

– Mais non, réunion entre amis.

Deuxième coup de téléphone de Geena, nerveuse :

– Quel temps?

– Ça s'arrange.

– Ce sera à quelle heure? (Elle le sait déjà par Élodie ou Richard.)

– Trois heures du matin.

– Comment trouves-tu Andy?

– Normal.

– Et Cézanne?

– Charmante. Dürer?

– Parfaite. Tu m'appelles après? Je dîne aux *Pléiades*, je serai rentrée après minuit (six heures du matin ici).

– Bonne soirée.

– Bonne *fête*.

J'embrasse Luz, longtemps.

Elle :

– Il faut s'habiller?

– Un peu.

IV

Le tableau ne touchera pas terre. Il est là, 56 × 46 cm, dans le coffre aménagé du *Player II*. Élodie et Walter nous ont laissés l'examiner un long moment, Richard et moi, avant les deux types du *Sea Sky*. Me voici maintenant seul, de garde, sur la plage arrière. Tout s'est passé avec naturel.

Il est deux heures du matin, Luz dort. Je regarde le revolver chargé, posé à côté de moi sur le coussin bleu : inutile, mais c'est l'aspect cinéma de Richard et Geena, leur grain de folie sympathique.

Le *Player II* oscille à peine, l'eau claque avec régularité contre la pierre du quai. En haut, sur ma gauche, la Grande Ourse; derrière moi, en perspective, le fronton de l'église avec ses deux anges autour de la roue flamboyante (le projecteur qui les révèle s'éteint à dix heures); devant moi, par-dessus le mur blanc, un pin parasol.

Ai-je déjà regardé un arbre comme ça? A ce point de l'intérieur? Non.

Richard :

– Alors, émotion? Un peu de fierté nationale? Il faut avouer que c'est enlevé. Je vérifie les points J1, O2 et Y3. Et toi?

– A7, D8, N9. La petite blonde en rouge, là, à gauche.
– Près de l'escalier?
– Voilà. Baisse un peu le spot du haut, à droite. Encore. Passe-moi la loupe.

Elle me tiendrait entre deux doigts, Luz... Je suis King-Kong, je la sors de la toile, je la mets dans ma poche, je pars...

– Pas besoin de frottis?
– Un seul.
– Doucement. Ne lui fais pas mal.

Richard sait faire. Allumette, coton humecté, point O, analyse. Oui, le pinceau d'Antoine Watteau lui-même a bien touché cette paroi.

– Eh bien, livraison.
– Comment sont les types d'à côté?
– Corrects. Un Libanais, un Allemand.
– Allemand?
– Arrête tes préjugés. Walter aussi est d'origine allemande.
– Élodie?
– L'Anglaise? Quelqu'un de très bien.
– Pourquoi « Cézanne »?
– Demande-lui une autre fois. Beau truc, ce léger machin, non? Pas exactement ce que j'aime, mais quel metteur en scène.
– De quelle scène s'agit-il à ton avis?
– A toi de savoir.

Ce n'est pas le tableau qui m'habite, là, tout de suite, mais l'arbre, la branche de pin noire éclairée par la lune. Les mâts, les cordages, l'arbre. Bruit du silence de l'eau.

Les mâts, les cordages, l'eau, la branche de pin, le développement romanesque des arbres de Watteau, le coffre-fort, le revolver, la nuit, l'arbre. Et, de nouveau, les mâts, les cordages, l'arbre, la Grande Ourse, le mur blanc. Il veut me dire quelque chose, ce pin, ou plutôt je veux me dire quelque chose à travers lui? Non. *Se dit sans se dire.* Se dit avant de se dire. Et encore après, sans que rien soit dit. Recommence. Oh oui, recommence, puisque tout recommence, sans fin.

Geena :

– Alors?

– Sans problème.

– Tu vas dormir?

– Je ne crois pas. Il y a un très beau pin en face des bateaux. Tout à fait l'étude de Cézanne qui est à Zurich.

– Oui?

– Non, rien.

Je pense à la maîtrise nerveuse du type qui est allé découper au cutter le Renoir du Louvre. Ça ne lui a pris que quelques secondes. Travail très difficile, haute précision, taille de diamant, polissage de lentille optique, opération de la cataracte au laser. Je l'imagine respirant à fond, s'interrogeant pour la centième fois sur le fil du rasoir. Vite fait, bien fait, pomme dans la poche. Il ne reste plus qu'à sortir normalement, en laissant le gardien somnoler. Est-il allé le déposer chez Dürer? A-t-il une seule fois entendu parler de Spinoza? « Tout ce qui est très précieux est aussi difficile que rare. » Spinoza écrit, en latin, *praeclara. Omnia praeclara tam difficilia quam rara sunt.* Le latin est beau comme un pin. Deux branches à entendre :

tam, quam. Bois sec, rouge sombre, sentant bon, ramené dans le papier par la main qui dessine, peint, écrit en volume. Les forêts de pin brûlent comme du papier. *Praeclarus* : ce qui est clair, lumineux, étincelant, brillant, remarquable, transformation d'hydrogène en hélium, cœur du soleil : quatorze millions de degrés, dans quatre milliards d'années embrasement général. *Nihil praeclarius* : rien de plus remarquable. *Res praeclarissimae* : les plus belles actions. *Praeclara* : pluriel. *Qui habet corpus ad plurima...* Les traductions disent : « Qui a un corps apte au plus grand nombre d'actions », et ce n'est pas faux, mais comment faire comprendre ce que serait réellement *un corps au pluriel*?

« Qui a un corps au pluriel, a un esprit dont la plus grande partie est éternelle. »

Quoi? Pardon? Corps? Pluriel? Esprit? Partie? Éternel? Voulez-vous me refaire, pas à pas, la démonstration?

Omnia praeclara... rara. Toutes les choses (ou les actions) très claires sont aussi difficiles que rares. Ce qu'il y a de plus clair est ce qu'il y a de plus rare et de plus précieux. Ce qui se conçoit bien s'énonce clairement, et les mots pour le dire arrivent aisément. Dites-moi donc quelque chose de *très clair.* Encore. Non, davantage. Non, encore.

Suis-je clair?

L'œil ne voit qu'une partie de la lumière (laquelle met huit minutes pour nous parvenir de cette étoile secondaire : le soleil). Il ne perçoit pas, notre œil, les rayons X, gamma, infra-rouges, ultra-violets, radios. Quelqu'un qui verrait les ondes radio baignerait dans une brillance permanente. Il n'y aurait plus, pour lui, ni jour ni nuit. Si vous voulez étudier le cœur du soleil et ses neutrinos impalpables, il faut vous enfoncer sous terre et sous l'eau, à l'abri des rayons cosmiques. Patience, longueur de temps, écoutez bien, cherchez bien.

L'*Étude pour un arbre*, de Cézanne (années 1895-1900) mesure 27,5 × 43,5 cm. Elle se trouve donc au Kunsthaus de Zurich. Grise, verte, bleutée, dégagée, ferme, vide et affirmative, blanche à force d'être passée par le noir vivant, elle est plus explicite, dans sa relativité absolue, que mille traités de physique, cinquante de métaphysique, vingt d'éthique ou encore que dix mille virtuosités zen du Japon. Les Japonais le pressentent sans pouvoir le savoir en détail. Nous, non. Le mystère est là.

Quelle beauté.

La scène vraiment amusante serait de réciter, là, sans raison, des vers de La Fontaine à Geena – elle à New York, minuit; moi à Venise, six heures du matin –, pendant que le jour bleu-rouge et les mouettes envahissent le ciel et que, depuis la terrasse, je vois le *Sea Sky* appareiller tranquillement à la voile, avec sa *petite cargaison.*

Allô?

« J'aime le jeu, l'amour, les livres, la musique.
La ville et la campagne, enfin tout; il n'est rien
Qui ne me soit souverain bien,
Jusqu'au sombre plaisir d'un cœur mélancolique. »

Pardon? Quoi? Expliquez-moi comment tout peut devenir « souverain bien »? Et surtout comment tirer un sombre plaisir d'un cœur mélancolique? Vous seriez sombre et cela vous ferait *quand même* plaisir? Et l'abandon, la mort, la souffrance? Souverain bien encore?

Incompréhensible.

Branche de pin.

Trop difficile ou rare.
Trop clair.

Il s'éloigne, le *Sea Sky*, les deux types à bord en parfaits yachtmen nonchalants. Élodie et Walter, eux, à l'arrière du *Player II*, prennent leur petit déjeuner avec leurs beaux enfants blonds. Heureuse famille. Richard doit être déjà sur un motoscafo vers l'aéroport. Luz et Geena dorment. Nicole écoute à la radio son premier journal d'information.

Dernière minute : de pseudo-touristes en bateau surpris alors qu'ils transbordaient à Venise, en même temps qu'un stock important d'héroïne, un lot de tableaux volés dont une toile importante de Watteau. Tout un réseau international démantelé, la question du trafic secret des œuvres d'art reposée. La commissaire Monique Priseur sera l'invitée de notre émission spéciale.

Mais non, rien. La crise, les menaces de guerre, la sécheresse, les incendies du Midi, les accidents de la route, quelques viols, voilà tout. Nicole n'entendra pas non plus, et c'est dommage :

Qui était Watteau? Pourquoi ses œuvres valent-elles si cher? Autant que celles de Van Gogh? Ce soir, notre heure de vérité avec Maître Norpois, le grand spécialiste mondial de l'art.

– Maître, que nous apprend cette nouvelle affaire?

– L'extrême sensibilité et la nervosité du marché, ses nouvelles lois, son extension planétaire.

– Mais encore?

– L'imagination des nouveaux trafiquants, leur identité de plus en plus difficile à cerner, l'audace des commanditaires inconnus, ce qu'on pourrait appeler le mélange des genres.

– Oui?

– Le symptôme de toute une époque, la stabilité des valeurs sûres et unanimement reconnues, l'expansion du yen et du dollar dans leur mouvement réciproque, le prestige de la France, sa marque d'image dont nos concitoyens sont, hélas, peu conscients.

– Pour quelle raison?

– Il n'est pas rare que les civilisations qu'on s'apprête à détruire se considèrent elles-mêmes comme mortelles. Voyez l'attitude des Mayas à l'arrivée des Espagnols.

– Et Watteau, Maître? Était-il un Maître?

– Ah, certainement. Très grand.

– Le sens de son œuvre, en deux minutes?

– Une immense nostalgie. Regardez le magnifique embarquement pour l'enterrement à Cythère qui est, contrairement à ce qu'on croit, l'île grecque des morts. C'est là, comme Baudelaire l'a bien vu, qu'on dressait les bûchers funèbres. Les personnages de Watteau semblent s'amuser mais en réalité ils se tordent les mains, ils gémissent, ils pleurent, ils se savent irrémédiablement condamnés.

Une pause publicitaire.

– Maître Norpois, que pensez-vous de cet écrivain arrêté dans l'affaire Watteau à Venise? N'est-ce pas surprenant?

– Froissart? Je l'ai un peu connu autrefois. Pas sans talent, mais une intelligence fourvoyée. Comme la plupart des intellectuels, il a passé son temps à se tromper. Les fanatiques de l'auto-aveuglement narcissique finissent souvent dans le tourbillon des médias quand ce n'est pas dans le terrorisme et la délinquance. Je ne m'en réjouis pas.

– Vous pensez que ce genre de cas relève plutôt de la psychiatrie?

– De la psychanalyse, plutôt.

– A-t-il écrit quelque chose d'intéressant?

– Je ne m'en souviens pas. C'est possible. D'abord l'hermétisme, ensuite la pornographie ou la mode... Vous savez, avec les anciens gauchistes, il faut s'attendre à tout.

– Maître Norpois, revenons à Van Gogh.

– Watteau.

– Pardon, Watteau. Il est mort très jeune. Il s'est suicidé?

– Non, mais sans doute n'avait-il plus envie de vivre.

– Homosexuel?

– On l'a dit.

– Drogué?

– De nouvelles recherches l'établiraient peut-être.

– Névrosé, donc?

– Indubitablement.

– Toujours coté en Bourse?

– Immuable.

– Pour quelle raison?

– Je vous l'ai dit : il a peint comme personne le désenchantement et l'ennui amoureux, le sens obscur du désir qui n'est que celui, caché, de la mort.

Oui, le *Sea Sky* s'en va tranquillement, là, et le *Player II* partira ce soir, lui aussi, direction Capri et de nouvelles aventures. Une tombe étrusque? Un fond d'église isolée? Des marbres? Des bronzes? En cours de route, la marchandise changera peut-être de destinataire. Je range mon revolver dans un tiroir, il n'en sortira pas de sitôt. Luz me rejoint sur la terrasse, me demande si j'ai bien dormi, regarde de loin, avec moi, Élodie, Walter et leurs blonds garçons qui courent sur le pont, se bousculent, rentrent dans les cabines, ressortent. C'est dimanche. Ils iront se promener tout à l'heure, impeccables, en passant sur leur petite passerelle pour gagner le quai. Attention, bien tenir la corde. Mais les enfants sont agiles. Ils ne vont quand même pas aller à la messe *en plus*?

Charmante Cézanne : elle vient de décrocher le téléphone portatif, elle parle et rit au soleil, c'est peut-être Geena qui l'appelle, ou Richard depuis l'aéroport, ou Nicole, ou un des types du *Sea Sky*, ou encore quelqu'un d'autre. Elle ne regarde pas une seule fois vers nous.

Luz :

– Je peux les filmer?

– Pourquoi pas. Tu peux zoomer sur le pin, là, sur la gauche?

– Oui?

– Comme ça. Tu prends les mâts et le pin, surtout la branche qui déborde du mur. Les enfants, les cordages, les mâts, les drapeaux, le pin.

(Elle filme.)

– Hubble a eu des problèmes de transmission. Mais Magellan semble fonctionner sur Vénus. Excellents clichés.

– Tant mieux.

– Tu veux dire quelque chose dans la caméra?

– Non.

– Mauvaise humeur?

– Pas vraiment.

Toile sur l'eau, coffre-fort...

– Dites, Mozart, comment s'est passé le transbordement du Watteau?

– A merveille, monsieur. Mais nous avons changé de partenaire, en mer.

– Ah bon? Plus d'Émirs?

– La région est un peu encombrée en ce moment. Nous allons peut-être ramener le tableau aux Antilles.

– Saint-Martin?

– Évidemment. Nous pourrions le laisser là quelque temps.

– Les Japonais ne sont pas preneurs?

– Si, mais vous savez bien qu'ils continuent dans leur folie impressionniste.

– Toujours Monet?

– Toujours.

– Ils ne s'en lassent pas?

– Apparemment non. Ils avaient sauté sur le Renoir, mais notre agent a été imprudent, il vient d'être arrêté à son retour de Venise.

– Le Renoir découpé au cutter au Louvre, en plein jour? L'idée était géniale.

– Merci, monsieur.

Luz :

– Tu ne laisseras pas de Mémoires?

– Non. Je ne veux pas être flétri de la qualification de poseur.

– On écrira une biographie de toi?

– Oh, sans doute. Mais pas avant 2030 ou 2050. Il faudra que beaucoup de corps aient désapparu. Les vivants devenus morts et redevenant vivants comme s'ils n'avaient jamais été morts. Les vivants, les morts : cela se disait, autrefois.

Elle est allongée sur le canapé du salon, je suis assis sur le tapis bleu chinois, je tiens sa cheville gauche entre mes mains, dessin Diane au bain, Actéon accepté, pas de chiens, vérité du pied, deux temps trois mouvements, calme.

– « Deux temps, trois mouvements » ?

– Quand on a trouvé le temps de l'instant. Une phrase.

– Exemple ?

– Cet homme était un paradoxe vivant : il s'amollissait dans la discipline et s'endurcissait dans les plaisirs.

– Autoportrait ?

– Si tu veux.

La nuit, la peau : toi ? moi ? Les bouches, les mains, les épaules, les jambes. Et le matin, là-bas, en face, le visage un peu bouffi de la fille brune à la fenêtre : elle aussi a dû être longuement touchée dans le noir. Soleil dans les yeux, elle sourit.

– La matière noire ? Les MACHOS ?

– Massive Compact Halo Objects. La matière noire est simplement le prolongement de la révolution copernicienne. La Terre n'était pas le centre du monde ? Maintenant, si la matière noire existe, cela signifie que toutes les choses visibles ne sont pas si importantes. Place à l'évanescent, à l'incertain, à l'intervalle, à l'écho, au décalage, à l'accent, à la perturbation minuscule, au reflet, au ricochet. Place aux milliards de milliards de milliards de particules qui remplissent ce monde trop léger. Ce qui brille n'est pas ce qui soutient. Ce qui s'observe n'est pas ce qui enveloppe. Tout le monde se raccroche à l'image au moment même où elle est mise en abîme, relativisée, explosée. Publicité sur fond d'évanouissement, galaxies d'écume. La mort peut se regarder indirectement, le soleil est un détail, la nuit nous donne une nouvelle énergie, vive la peinture en acte, toi, moi, bonjour. Un ange passe, c'est un neutrino. Si tu préfères les neutralinos ou les axions, c'est ton droit. Comment va ta densité critique? N'es-tu pas toi-même un mirage gravitationnel?

– Quintessence?

– Façon de parler. En tout cas, il y a dix fois plus de masse cachée que de masse apparente. Conséquences psychologiques? Imagine une catastrophe interminable.

– Et jouir?

– C'est une question?

– Matière noire?

– Peut-être.

Il n'est pas impossible qu'on dise un jour : en ce temps-là, les apparences gonflées à bloc se manifestaient militairement sur fond de gratte-ciel illuminés et d'écrans mouvants. Elles s'appelaient Lou Dobbs, le présentateur de *Moneyline* sur CNN, ou Terry Keenan (qui te ressemblerait un peu si tu avais été prise et glacée par l'apologie incessante de la marchandise aussitôt transformée en chiffres, corps humains compris), l'impeccable et rapide présentatrice de *Business News* à New York. Dieu s'appelait Dow Jones, le spécialiste international de son culte

William Sterling (ça ne s'invente pas). Le correspondant-chemisette en Arabie Saoudite, aussi à l'aise dans le désert qu'au bord d'une piscine, se nommait Carl Rochelle. Les actions de Kodak étaient en progression alors que les autres connaissaient une baisse sensible et passagère. Le baril de pétrole flambait, rebaissait, se réenvolait, se reposait. Le marché silencieux de la dope, matière blanche pour effet noir, était en hausse, comme d'habitude, et passait de plus en plus sous le contrôle bénéficiaire direct de l'État officiel. On ne comptait plus les tableaux volés. Un magistrat désabusé et en cours d'assassinat constatait, avec vingt ans de retard, que l'Italie tout entière était aux mains de la Mafia. Le Pape mettait timidement en garde contre les ravages de la télévision, pendant qu'on célébrait le quatre cent cinquantième anniversaire de la création des Jésuites (indulgence plénière pour ceux qui iront en pèlerinage à Loyola). De vrais-faux livres se publiaient partout et se vendaient comme par enchantement sans que personne ne les lise. Le *Sea Sky,* à Venise, croisait, en sortant de la ville, l'*Ocean Free,* venant de Capri. Un écrivain français en exil lisait au soleil un moraliste également français qui a écrit : « Le devenir-falsification du monde est le devenir-monde de la falsification », en se demandant combien d'individus comprendraient vraiment cette phrase. Il se rappelait qu'un philosophe idéaliste avait parlé, pour notre époque, de la « disparition de la dimension de l'indemne ». Ce mot, *indemne,* le faisait penser à *L'Indifférent* de Watteau. La phrase du philosophe en question est la suivante : « Seul l'Être accorde à l'indemne son lever dans la sérénité et au courroux sa course fiévreuse vers l'abîme. » Oui. Branche de pin de Cézanne. « Une telle pensée n'a pas de résultat. Elle ne produit aucun effet. Elle satisfait à son essence du moment qu'elle est. Mais elle est en tant qu'elle dit ce qu'elle a à dire. A chaque moment historique, il n'y a qu'un seul énoncé de ce que la pensée a à dire qui soit selon la nature même de ce qu'elle a à dire. » Voilà.

Il aurait aimé qu'à Venise, les messes commencent désormais ainsi : « Au nom de Titien, Tintoret, Tiepolo; au nom de Watteau, Rubens, Manet, Monet, Cézanne et Picasso; au nom de tous leurs pinceaux; au nom de ce qu'on aura appelé autrefois l'Italie, la France, l'Espagne, la Chine; au nom du Sud vaincu et de la Sécession elle-même abolissant l'esclavage en elle-même; au nom des républicains espagnols, derniers insurgés avant la grande défaite contre le Nord (États-Unis, Allemagne, Russie, Japon) : mémoire et peinture, pain et vin, dans les siècles des siècles, amen. »

Claude Monet et sa femme, Alice, arrivent à Venise pour la première et la dernière fois, le jeudi 1er octobre 1908. Ils habitent d'abord le Palazzo Barbaro, chez Mary Hunter, puis à l'hôtel Britannia, celui de Turner (aujourd'hui Europa) en face de la Salute. Le 7 décembre, la veille de son retour en France, Monet écrit à Gustave Geffroy : « Mon enthousiasme n'a fait que croître... Quel malheur de n'être pas venu ici quand j'étais plus jeune, quand j'avais toutes les audaces! Enfin... J'ai passé ici des moments délicieux, oubliant presque que je n'étais pas le vieux que je suis. »

Phrase étonnante. En principe, il aurait dû écrire : « oubliant presque que j'étais le vieux que je suis ». Il a 68 ans à ce moment-là. Il mourra à 86 ans, en 1926.

L'explication est dans la série de toiles qu'il expose en

1912 chez Bernheim. Un esprit curieux se reportera à celle qui est intitulée *La Maison rouge.*

Les lettres d'Alice Monet à sa fille, Germaine Salerou, nous renseignent presque heure par heure sur ce séjour. « Je vis dans un rêve, cette arrivée à Venise, si merveilleuse, le calme qui vous gagne, les attentions multiples de Mary Hunter, ce palais admirable, un vrai conte de fées... Ici, comme je m'y attendais, c'est le grand luxe, mais calme et facile... Trop beau pour être peint, dit Monet, j'espère bien qu'il changera d'avis... Monet dit que c'est " inrendable " et que personne n'a jamais donné l'idée de Venise... Monet désire sortir de si grand matin que je ne peux te griffonner que cette page... Les jours filent, filent, toujours dans le rêve et le ravissement... Ici, c'est toujours le même émerveillement, et Monet bien au travail, notre vie absolument réglée... Il veut revenir l'an prochain... Chaque jour, il commence de nouvelles toiles, tant que le beau temps durera, il ne pensera pas à partir... Aujourd'hui pas l'ombre d'une brume, un soleil radieux, aussi travaille-t-il bien fort. A 8 heures, chaque jour, nous sommes installés au premier motif jusqu'à 10 heures; il nous faut donc nous lever à 6 heures; puis autre motif de 10 heures à midi. De 2 à 4, dans le canal, de 4 à 6, par notre fenêtre – tu vois que les heures sont remplies et, vraiment, je ne sais comment à son âge, il fait cela sans fatigue... Monet a maintenant 12 toiles en train et se passionne de plus en plus... Pendant que j'y pense, le matin, dans le thé, Monet prend en ce moment de la confiture d'orange anglaise... Vraiment, nous avons passé de cruelles heures avec la pluie torrentielle, Monet ne voulant pas bouger de cette chambre d'hôtel et ne pouvant même pas y travailler par la fenêtre... Hier, nous avons eu une journée merveilleuse et même si étouffante que j'avais mis une robe de toile, et j'avais chaud comme en plein été. Ce matin, c'est le brouillard... En ce moment, pendant que je te griffonne ces lignes et que Monet tout en ronchonnant s'est mis à peindre, je vois passer un vrai défilé de bateaux de pêche avec ces voiles si admirables rouges ou bleues avec des images de saints ou des chevaux ou même la lune. Voici un grand trois-mâts, puis de vrais navires, un qui fait escale ici pour l'Égypte et prend des voyageurs, quel spectacle et les reflets de tout cela dans l'eau nacrée... Tu sais la peine qu'il vous fait quand on le voit ainsi douter de lui-même... Nous avons été ravis des nouvelles de Renoir et espérons bien le trouver tout à fait valide, Monet se fait une fête de le revoir... Tu me demandes, ma Germaine, ce que je fais pendant les heures de travail de Monet. Tu vas être bien étonnée car, à part le courrier, qui me prend la matinée, pendant les séances à San Giorgio où je peux être assise près de Monet sur la terre ferme, je passe le reste du temps à côté de lui en gondole, nous laissant bercer par les flots des bateaux qui passent, vapeurs pétrole, etc., et ne peux rien faire ni bouger pendant que Monet peint. Les heures passent dans cette contemplation, depuis le déjeuner, c'est-à-dire 2 heures, jusqu'à 6 h 30; alors nous faisons un tour à pied chez le marchand de couleurs ou de tabac ou aux cartes postales... Hier soir, nous avons encore eu un coucher de soleil merveilleux, comme j'aimerais te le faire admirer : le ciel tout rouge et bleu, mais si doux, les flots de feu et de nacre, le croissant de lune apparaissant dans les lagunes silencieuses et nous deux bercés dans la gondole... Notre vie est réglée comme du papier à musique... Il me faut, je t'assure, un grand courage pour supporter de pareils moments d'emballements ou de désespoirs, n'en voyant pas la fin... Ma foi, avec Monet, vraiment, c'est à ne jamais savoir ce qu'on fera. Combien souvent m'a-t-il dit de faire les malles, qu'il ne toucherait plus à un pinceau et une heure après il travaillait et quelquefois même commençait une autre toile... Je suis bien de ton avis pour ne rien dire à Mme Renoir, si potin et bavarde... Je suis heureuse ici de voir Monet si plein d'ardeur, et faisant de si belles choses et, entre nous, autres que les éternels nymphéas, et je crois que ce sera un bien grand triomphe pour lui... Le soir, nous avons été aux marionnettes, quelle chose curieuse! Il y avait des ballets où vraiment ces marionnettes font des pointes comme de vraies danseuses. Monet a trouvé cela merveilleux.... 28 novembre, deux mois de notre départ de Giverny : vraiment nous faisons de grandes noces, je crois que cela aussi annonce le départ... Hier, nous avons voulu faire une petite noce... Monet travaille, il travaillait encore à 8 toiles hier. C'est trop, car c'est sans arrêt depuis 8 heures du matin jusqu'à 5 heures, sauf une heure pour le déjeuner. Hier soir, il était si fatigué que cela me tourmentait, mais il est si heureux... »

Monet, à Venise, a peint trente-sept toiles. Contrairement à ses prévisions et à son désir, il n'y reviendra pas. Alice meurt trois ans après, le voilà enfermé à Giverny avec ses « éternels nymphéas ». Alice Monet, on vient de le comprendre, était une femme sublime. Très belle, pas du tout esclave, écriture ferme, éclatante sur une photo de Nadar, en 1900. Le commentaire SPA habituel (SPA : Sentimental-Puritain-Angoissé) sur cette fabuleuse série vénitienne est le suivant : « La peinture qui naît, ou qui renaît, sous le pinceau du vieux Monet, dit la mort de Venise. »

Et voilà.

Comme quoi on peut imprimer désormais le dictionnaire des idées reçues prémodernes, modernes et postmodernes, dogme de la nouvelle religion négative aussi obsédée que butée.

Venise : Recto : banalités touristiques ou spectaculaires. Verso : mort évidente, s'effondre lentement dans les eaux, n'en finit pas d'en finir, castration (Sartre).

Débauche : toujours morose.

Enchantement, ravissement, extase : dépression, hépatite virale, crise de nerfs.

Casanova : était tout le temps malade.

La chair : insatisfaisable, hélas, raison pour laquelle nous ne lirons plus aucun livre.

Fête : se termine toujours tristement.

Ek-sistence : mot incompréhensible, dont aucune police sociologique ne donne la définition. A été forgé par un philosophe abject (« Ek-sistence : position extatique dans la vérité de l'Être ») et ne peut conduire qu'à un délire criminel. Si un individu ek-sistait, nous n'existerions plus et nous n'aurions plus d'essence. Donc : absurde. Le premier venu, lors d'un contrôle SPA, pourrait d'ailleurs déclarer avec insolence : « Je n'existe pas, j'ek-siste. » Où irions-nous.

Bien entendu, comme Proust exactement à la même époque, Monet voulait au contraire célébrer la résurrection inouïe de Venise à travers son sentiment intérieur irrépressible et sa progression technique. Évidemment ! Avec son Alice au pays des merveilles. Chez la Reine du Temps. Non, non ! Je vous accorde du bout des lèvres l'Algérie ou le Maroc de Delacroix ou de Matisse, mais pas la Venise de Monet ! Mais pourquoi ? Les églises vous gênent ? Vous y pressentez des bûchers ? L'Inquisition vous poursuit ? Vous tremblez d'être soumis à la Question douloureuse ? Pas de nymphes à Venise (cache-toi, Luz !) ? Vous préférez, à la limite, des odalisques, des femmes en babouches et en gandouras? Vous n'aimez décidément pas cette frénésie de Monet? Non?

Au Japon!

C'est Luz qui me le fait remarquer : jamais un pavillon français sur l'eau. Tous les bateaux de plaisance sont anglais, ou presque.

Elle :

– Tu finirais ta vie à Tokyo?

– Pourquoi pas? Je ferais un cours permanent sur l'Impressionnisme à de riches jeunes filles en fleurs. Je viendrais ici trois fois par an avec les dix meilleures élèves. J'y attendrais les Chinoises : elles finiront bien par venir.

La Maison rouge (65 × 81 cm) : c'est la maison d'à côté. Pour avoir le sens de l'endroit où nous sommes : surtout pas de photographie ou de plan de film, mais le petit pan de mur rose, à droite, dans le *Rio de la Salute* (canal de la santé) – 100 × 65 cm – signé bien lisiblement en noir, en bas, à gauche : Claude Monet 1908.

Cézanne : « Le ciel est bleu, n'est-ce pas? Eh bien, ça, c'est Monet qui l'a trouvé! »

Titien, à 93 ans, a entendu ce discours d'été :

ÉLOGE DE VENISE
DE LUIGI GROTTO CIECO D'HADRIA,
PRONONCÉ POUR LA CONSÉCRATION
DU DOGE SÉRÉNISSIME
DE VENISE LUIGI MOCENIGO,
LE 23 AOÛT 1570.

Voici la ville qui, à tous, inspire la stupeur. Et j'ajouterai que toutes les vertus en Italie dispersées en fuyant la fureur des barbares ici se rassemblèrent, et, ayant reçu du ciel le privilège des alcyons, firent, sur ces eaux, de cette cité, leur nid. Et je conclurai ainsi : qui ne la loue est indigne de sa langue, qui ne la contemple est indigne de la lumière, qui ne l'admire est indigne de l'esprit, qui ne l'honore est indigne de l'honneur. Qui ne l'a vue ne croit point ce qu'on lui en dit et qui la voit croit à peine ce qu'il voit. Qui entend sa gloire n'a de cesse de la voir, et qui la voit n'a de cesse de la revoir. Qui la voit une fois s'en énamoure pour la vie et ne la quitte jamais plus, ou s'il la quitte c'est pour bientôt la retrouver, et s'il ne la retrouve il se désole de ne point la revoir. De ce désir d'y retourner qui pèse sur tous ceux qui la quittèrent elle prit le nom de *venetia*, comme pour dire à ceux qui la quittent, dans une douce prière :

Veni etiam, reviens encore.

Il a fait si chaud, après le départ du *Player II,* qu'on a commencé à se baigner même vers minuit dans la piscine. Elle est éclairée par le bas, on plonge depuis le noir dans le bleu très clair. J'ai acheté un gros ballon léger transparent sphère terrestre, avec les continents dessinés en vert, rose, jaune et rouge. Il flotte là, devant nous. Une petite poussée, et il file jusqu'à l'autre bout.

Luz semble heureuse. Elle passe de longues heures dans la bibliothèque avec ses livres incompréhensibles. Elle écrit en vérifiant certaines équations. Une fois sur deux, je la rejoins dans sa chambre, à moins qu'on reste dans le salon, sur le tapis, jusqu'à deux ou trois heures du matin. Musique. Gestes. Précis.

« Tutto gioisco e si di gioia abbondo
Che de la gioia mia gioisce il mondo. »

Gesualdo, fin du Sixième Livre. Commentaire classique : « Sur une note de félicité joyeuse, par une composition inondée de lumière et d'une vitalité rythmique débordante, se clôt la monumentale œuvre madrigalistique de Gesualdo. Le dernier message de cette musique violente et déchaînée, dicté dans un des moments les plus sombres et les plus malheureux de son existence tourmentée est, curieusement, un hymne à l'amour et à la joie. »

Pourquoi : *curieusement*?

Je reviens dans ma chambre, je reste allongé sur mon lit, les yeux ouverts. Il ne faudrait pas dormir pendant ce temps-là, celui de l'amour *objectif,* toujours surprenant au-delà de soi, fulgurant, profond, sans images, désaltérant plus loin que la soif. Elle est entrée dans ma folie, et moi dans la sienne, rien de plus raisonnable, le monde jouit de ma propre joie, rideau.

De temps en temps, je descends dans le jardin, je vais m'asseoir sur le sarcophage et fumer une cigarette. On imagine toujours mal comment les corps se sont couchés, ont dormi. Stendhal se déshabillant à Old City; Watteau se laissant tomber dans un coin de chambre à Paris; Proust cherchant sa respiration et attendant l'aube; Monet rêvant à cent mètres, ébloui par ses dix heures de couleur, drôle de cerveau transformé en taches sur l'oreiller frais. Sommeil de Titien : magnifique tableau disparu, peint par lui-même. Spinoza contre le mur : rien de changé quant à la démonstration des principes. Joyce à Trieste? Céline à Meudon? Nabokov à Lausanne? Idem. Cézanne voyant mieux comment introduire ses têtes de mort au milieu des fruits. Picasso posant très crânement pour un photographe, sa tête fondue bien en main. Vanité? Non : défi. Mon image, c'est mon cadavre, et je n'en ai rien à foutre. On peut leur dédier à tous ces vers de Jalâluddîn Rûmî :

« Nuit étrange, lorsque tu entendis la voix du compagnon,
Échappant à la morsure du serpent, délivré de l'horreur des fourmis,
L'ivresse de l'amour apporte dans ta tombe comme un présent,
Le vin, la femme, la lumière, les mets, les douceurs, le parfum.
En ce temps où la lampe de l'intelligence s'est allumée,
Quelle clameur s'élève des morts ensevelis !
La terre du cimetière est soulevée par leurs cris,
Par le tambour de la résurrection et l'éclat du retour. »

Enfin, bon, chut. Brise dans les lauriers rouges. Froissart, au lit.

Les *Venises* de Claude Monet se trouvent aujourd'hui à Londres, Cardiff, Chicago, San Francisco, Boston, Washington, New York, Indianapolis, Berne, Tokyo, Nantes – ou dans des collections privées. Celui de Nantes est le tableau d'adieu, le 3 décembre 1908, gondole amarrée à des piquets, noire et mauve, deuil et foi, vite vu, force chinoise. Nymphéas ou pas, il s'attache là et il reste là. Les deux *Crépuscules,* bleus, jaunes et rouges sur Saint-Georges-Majeur sont éclatants et fous. Le deuxième (maintenant au Japon) est le plus réussi, je trouve.

On sent que, dans cet éventail de plein air, Monet a voulu vérifier sa vie entière à toute allure : peupliers, bords de Seine, meules, verticales, horizontales, cathédrales, changements de bassins, reflets de reflets de reflets, remontées à l'envers, brassées de fleurs, enfants, robes, ombrelles, chapeaux, coquelicots, déjeuners, chaleurs et fraîcheurs, diffusions, buées, explosions, buissons d'atomes. « Les Vénitiens » : l'expression revient sans cesse, à la fin, dans les propos de Cézanne. Ils avaient, bien, Monet et Cézanne, la certitude de revenir fiévreusement à la vérité obscurcie par un déluge de conformisme et de mensonges. Gloire au lieu pour le lieu. Ici.

Céline : « Les Impressionnistes étaient de gros travailleurs. »

Le Palais Ducal, vu par Monet, contient, comme une boîte de couleurs en musique, Giorgione, Titien, Tintoret, Véronèse, Tiepolo. On continue, on entasse, on enveloppe, au bout des doigts, dans l'œil intérieur. C'est sans fin. Pas du tout Canaletto ou Guardi : tremblement de certitude ouverte.

Question à Cézanne : « Quelle est votre espérance? » Réponse : « La certitude. »

La montagne Sainte-Victoire est à Venise. Et Venise n'est pas à Venise, mais dans un double céleste qui s'appelle Venise.

Cézanne : « L'art est une harmonie parallèle à la nature, que penser des imbéciles qui vous disent que l'artiste est toujours inférieur à la nature? »

Être bien parallèle, *voilà.*

« Les prix des tableaux de Cézanne montaient lentement... En 1899, un paysage est poussé jusqu'à 6 750 francs. L'annonce de cette somme cause un tumulte dans la salle des ventes et le public crie : « Truqué! truqué!, où est l'acheteur? » Quelqu'un se lève : " C'est moi, Claude Monet. " La vente peut alors se poursuivre dans le calme. »

Touche par touche, plan par plan... Pas de discussions, silence, travail, découragement, stupeur, progrès millimétrique, enseignement muet se parlant à lui-même, allégement, lévitation, certitude. Ce qui était donné immédiatement à Watteau, ne s'obtient plus, deux siècles plus tard, qu'au prix de la plus sévère discipline. Encore un siècle? Oubli.

Picasso, vieux, se relevait la nuit pour faire, dans l'obscurité, des exercices d'assouplissement. Artaud, peu avant sa mort, ne sachant plus quoi écrire, traçait, dans ses cahiers d'écolier, des bâtons avec ses crayons.

« L'indemne » a disparu, mais aussi le *peu à peu* qui conduit au salut même les plus débiles. Tassez maintenant cette viande imagée. Combustible. Où sont passés les crânes de Monet, de Cézanne? Je veux les contempler sur des tapis d'Orient.

– Pourquoi tous ces Français géniaux à l'époque?

– En effet, monsieur. Mais après 93, Napoléon, la Commune, la saignée de 1914 a quand même réduit l'écart.

– Sont-ils bien persuadés, à Paris, d'avoir été provinciaux par rapport à la Vienne du début du vingtième siècle?

– Nous le leur répétons sans arrêt, monsieur.

– Adorent-ils le Bauhaus, Klimt, Schiele?

– De plus en plus.

– Résistent-ils?

– De moins en moins.

– Savent-ils que, depuis 1945, ils sont rayés de la carte?

– Ils s'y résignent.

– Se révoltent-ils?

– Un peu autrefois, de façon confuse. Plus maintenant. De toute façon, il y a longtemps que la moindre revendication nationale est aussitôt classée comme étant fasciste. Je vous rappelle que nous cotisons largement au mouvement qui doit représenter ce courant de façon outrée.

– Bien caricatural?

– Abject, monsieur.
– Parfait. Razziez-moi ces Monet.

Qu'est-ce qui a pu pousser dehors, ou apparemment dehors, ce Monet, ce Cézanne? Ont-ils senti avant et mieux que d'autres le grand renfermement auquel tout le monde était promis? La rafle monstre? La confiscation générale? Le plombage d'images aplaties? C'est probable. C'est même sûr. L'obsession du motif, la terreur d'être mis sous grappin (le fameux « noli me tangere » de Cézanne, interdiction de le toucher, même légèrement), les séances interminables au coin des bois, sur l'eau, à la fenêtre, près d'un coude significatif de rivière, devant un lac, une table de cuisine, un plâtre, une tête de mort, des pommes; la marche sous le soleil comme pour chercher l'hémiplégie; les allées et venues sans raison, crevantes pour les proches; la méfiance érigée en fanatisme positif; la paranoïa contrôlée, et d'ailleurs toujours justifiée; les brouilles soudaines; le coup de « l'instabilité », façon particulière d'être stable; la maniaquerie poussée en tous sens, palette, emploi du temps, usage des ateliers, des jardins, des fleurs, des fruits, des femmes – tout indique la passion de ne pas tomber aux mains de la société de surveillance a priori, de ne pas se laisser suicider par elle. Comment utiliser l'ennemi qui vient à vous comme ami? A quel moment l'ami devient-il l'ennemi nécessaire qui va travailler pour vous à l'envers, de toute son animosité fixe? De quelle manière user des marchands qui vous usent? Comment prévoir la plus-value de votre propre mort sur l'ensemble des tableaux? Que faut-il conserver? Détruire? De quels faux projets doit-on feindre d'être occupé? Quelles trahisons? Quelles alliances? Quels messages passés en code en citant le passé pour être déchiffré au futur? Une seule évidence : personne ne voit rien de ce qui est *là*, donc personne n'est vraiment *là*. « L'art s'adresse à un nombre excessivement restreint d'individus » (Cézanne). Surtout, ne pas ébruiter ce fait! Taisez-vous, malade! Le nouvel évangile est que tout un chacun est capable d'art! « Le goût est le meilleur juge. Il est rare. » Silence, funeste vieillard!

J'ai posé ma candidature au poste de correspondant permanent à Venise. Geena (pincée) : « Réellement? Tu ne veux rien d'autre? Mais ta femme? Ta fille? Bella? Fleur? » Richard : « Ici, en passant, d'accord. Mais *toute l'année*? » Nicole (en alerte) : « Ah bon? »

Il semble, pourtant, que *mon dossier avance.*

Je dis à Luz, en plaisantant, pendant le déjeuner : « Si je vivais ici, plutôt qu'à Tokyo, tu viendrais me voir de temps en temps? » Et elle, sérieuse, tout à coup : « On peut le penser. »

J'aimerais pouvoir la peindre, là, sur-le-champ : profil contre l'eau, yeux dans l'eau bleue agitée, mouettes, bouquet d'œillets blancs et jaunes... J'aurai peut-être tout l'hiver pour regarder, dans le téléviseur, les cassettes vidéo tournées pendant l'été... La série des toiles s'appellerait : *Venise avec modèle.* Il y en aurait de deux sortes : *Un peu avant, Juste après.* Mais personne ne peint plus de modèle! Justement. *Presque* plus personne. Et, en plus, vous n'êtes pas peintre! Bof, qui sait?

Cézanne : « Peindre d'après nature, ce n'est pas copier l'objectif; c'est réaliser ses sensations. »

« Le plus fort sera celui qui aura vu le plus à fond et qui réalisera pleinement, comme les grands Vénitiens. »

Cézanne, toujours, parlant de Monet : « Les falaises de Monet resteront comme une série prodigieuse, et cent autres toiles de lui. Quand je pense qu'on lui a recalé son *Été* au

Salon! Tous les jurés sont des cochons. Il ira au Louvre, allez, à côté de Constable, Turner. Foutre, il est encore bien plus grand... C'est le seul œil, la seule main qui puissent suivre un coucher de soleil dans toutes ses transparences, et le nuancer sur la toile sans avoir à y revenir. Et puis c'est un grand seigneur qui se paie les meules qui lui plaisent. Un coin de champ lui va, il l'achète. Avec un grand larbin et des chiens qui montent la garde pour qu'on ne vienne pas l'embêter. Il me faudrait ça. »

Et au Louvre avec Joachim Gasquet, à propos de Véronèse : « Celui-là, il était heureux. Et tous ceux qui le comprennent, il les rend heureux. C'est un phénomène unique. Il peignait comme nous regardons, sans plus d'efforts. En dansant. Des torrents de nuances lui coulaient du cerveau. Il parlait en couleurs. Il me semble que je l'ai toujours connu. Je le vois marcher, aller, venir, aimer, dans Venise, devant ses toiles, avec ses amis... Tout lui rentrait dans l'âme avec le soleil, sans rien qui le sépare de la lumière. Sans dessin, sans abstractions, tout en couleurs... On a perdu cette vigueur fluide que donnent les dessous... Regardez cette robe, cette femme contre cette nappe, où commence l'ombre sur son sourire, où la lumière caresse-t-elle, boit-elle, imbibe-t-elle cette ombre, on ne sait pas. Tous les tons se pénètrent, tous les volumes tournent en s'emboîtant. Il y a continuité... Le magnifique, c'est de baigner toute une composition infinie de la même clarté atténuée et chaude et de donner à l'œil l'impression vivante que toutes ces poitrines respirent véritablement, mais là, comme vous et moi, l'air doré qui les inonde. Au fond, j'en suis sûr, ce sont les dessous, l'âme secrète des dessous qui, tenant tout lié, donnent cette force et cette légèreté à l'ensemble... L'audacieux de tous les ramages, les étoffes qui se répondent, les arabesques qui s'enlacent, les gestes qui se continuent... Vous pouvez détailler : tout le reste du tableau vous suivra toujours, sera toujours là présent, vous sentirez la rumeur autour de la tête, autour du morceau que vous étudierez. Vous ne pouvez rien arracher à l'ensemble. »

Je vois qu'un journal de New York publie un article pincé sur une rétrospective des « séries » de Monet à Boston. Curieux, dit l'auteur, qu'une peinture qui nous paraît aujourd'hui si inoffensive ait pu paraître aussi révolutionnaire. Tu l'as dit, bouffi. Tu es, à ton insu, le digne descendant du bourgeois confiné du dix-neuvième siècle. Tu planes très au-dessus de Monet, tu lui es supérieur en tout (Moneyline !), ton *temps intérieur* est réglé comme une annonce publicitaire, projecteur, « nous avons les moyens de vous aveugler ! ». Toutes ces histoires de nymphes, de nymphettes ou de nymphéas sont artisanales et simplettes. Imagine-t-on, d'ailleurs, un peintre plantant aujourd'hui son chevalet en haut du World Trade Center pour étudier les nuances du soleil couchant sur Wall Street ? Warhol avait raison : peindre en série le sigle du dollar suffit. La *sensation* ? Quelle sensation ? « Il faut redevenir classique par la nature, c'est-à-dire par la sensation. » Quelle nature ? De quoi parlez-vous ? « Il est dix heures du matin », grogne Cézanne, guérillero à quatre pattes dans les buissons, « le jour baisse ». Ou encore : « Avez-vous vu comment la lumière prend bien les abricots de tous les côtés et comme elle est revêche avec les pêches ? » Ou encore : « Un conseil à un jeune peintre ? Bien peindre le tuyau de son poêle. » A bon entendeur, salut. Cachez-moi ce cylindre que je ne saurais voir. Le cône me fait déjà peur. Un cube ou une sphère, passe encore. Mais un cylindre ! « Il faut que ça tourne et que ça s'interpose à la fois. Les volumes seuls importent. Il faut que ça renfle. Il faut apparenter les contrastes dans l'opposition juste des tons. » Ah, ces Latins! Quels obsédés sexuels! « Depuis les rennes aux parois des cavernes, jusqu'aux falaises de Monet aux murs des marchands de porcs, on peut suivre la route humaine » (toujours Cézanne). Des marchands de porcs, nous? Ah non. De fusées, de canons, oui, si vous voulez absolument des cylindres. « Les faux peintres ne voient pas cet arbre, votre visage, ce chien, mais l'arbre, le visage, le chien. Ils ne voient rien. Rien n'est jamais le même. Eux, une espèce de type fixe, embrumé, qu'ils se passent les uns aux autres, flotte toujours entre leurs yeux – ont-ils des yeux? – et leur modèle. » Incompréhensible. Pourquoi perdrions-nous du temps, c'est-à-dire de l'argent, avec *cet* arbre, *ce* visage, *ce* chien? Tout cela a un nom unique : *combien*? Le *comment* nous mène immédiatement au *combien*. Pourquoi? Pas de pourquoi. Pour qui? Pour Monsieur et Madame Combien. Qui sont-ils? Les représentants de Combien Inc. Ltd. « Quand les tons sont harmonieusement juxtaposés et qu'ils y sont tous, le tableau se modèle tout seul. » Touchant, charmant, mais un peu tarte, grand-père. « Les grandes teintes s'analysent par les modulations. » Expliquez donc à ce Cézanne qu'il doit s'adapter un peu, sans quoi il n'ira pas loin dans la publicité. D'ailleurs, comment vit-il? C'est un ours? Maniaque? Mal habillé? Ne déjeunant jamais? Il peut se passer de vendre? Il ne téléphone jamais à Madame Combien? « La nature n'est pas en surface, elle est en profondeur. Ces couleurs sont l'expression, à cette surface, de cette profondeur. » Mais c'est un Indien, ce type! Qu'il fume son calumet dans le square de la réserve et qu'il nous foute la paix!

Les propos recueillis par Joachim Gasquet, le jeune ami de Cézanne (le fils d'un des anciens condisciples du peintre), sont en général considérés comme douteux surtout par les historiens d'art anglo-saxons. On le trouve énervé, emphatique, lyrique, prêchant une renaissance provençale confuse, menant droit à une révolution nationale réactionnaire, autrement dit à Vichy-Pétain (alors qu'il est mort en 1921). Il aurait reconstitué un Cézanne à sa convenance, traditionaliste, véhément, catholique-mystique, refusant de faire le portrait de Clemenceau parce qu'il ne croyait pas en Dieu, etc. Monet aurait été « de gauche », et Cézanne, donc, « de droite ». Pour gommer cette réalité gênante (puisque Cézanne représente pour Picasso et Matisse le Dieu de la peinture et qu'il vaut indubitablement très cher), on choisit de ne pas prendre au sérieux le témoignage de Gasquet, exagéré, certes, plein d'intrusions personnelles, mais dont l'accent d'authenticité et d'enthousiasme sincère ne peut être mis en doute. J'y crois, moi, à ce Cézanne fanatique visitant le Louvre et faisant sans cesse l'apologie exaltée des « Vénitiens et des Espagnols ». « Quand on ne sait pas, on croit que ce sont ceux qui savent qui vous arrêtent. Alors qu'au contraire, si on les fréquente, au lieu de vous encombrer, ils vous prennent par la main et vous font gentiment balbutier votre petite histoire. » Oui, c'est lui. A-t-il vraiment dit que David avait tué la peinture en voulant faire sage et « léché »? L'a-t-il réellement traité de « sale jacobin » et de « sale classique »? Sartre a bien jeté le mot « traître » à la tête de Titien en l'accusant d'avoir pris le parti des puissants. Tintoret de gauche, Véronèse et Titien de droite? Misère... Pauvres intellectuels encore en train de discuter, pendant que le rouleau aplatisseur *Moneyline* passe... Proust de centre-droit, Stendhal de plus en plus à droite, Joyce de gauche-droite, Nabokov d'arrière-droite, Céline d'hyper-gauche-droite, tous lectures favorites, comme chacun sait, d'Hitler, de Pétain, de Franco, de Mussolini. Pendant que Staline, lui, était un amateur éclairé de Kafka et de Walter Benjamin, la chose est notoire. Hitler, l'aquarelliste raté, fou des *Baigneuses* de Cézanne ? Non ? De Gaulle ne comprenait rien à Monet ? Churchill, souvent photographié en train de peindre, n'avait jamais entendu parler de Picasso ? Continuez la liste : LA PEINTURE EST LA VÉRITÉ. On peut faire semblant d'avoir lu (et encore), mais d'avoir *vu*, jamais. « Ce David, il est arrivé à châtrer dans son art même ce paillard d'Ingres qui adorait la femelle, pourtant. » Cézanne a-t-il prononcé le mot « femelle », emporté par son jeune compagnon ? « Ce que je déplore, c'est que ces jeunes gens auxquels vous croyez ne courent pas l'Italie, ne passent pas leurs journées ici (le Louvre), quitte à se jeter en pleine nature après. Tout est, en art surtout, théorie développée et appliquée au contact de la nature. » Et encore : « La sensation est à la base de tout, je le répéterai sans cesse. » Oui, c'est lui.

« Dites-moi, ce Tintoret, cette Tentation du Christ, à San Rocco je crois, cet ange aux seins gonflés, avec des bracelets, un démon pédéraste et qui tend, avec une concupiscence lesbienne, des pierres à Jésus, on n'a rien peint de plus pervers... Chaste et sensuel, brutal et cérébral, volontaire autant qu'inspiré, sauf la sentimentalité ; je crois qu'il a tout connu, ce Tintoret... Écoutez, je ne peux pas en parler sans trembler. Il se faisait endormir par sa fille, il se faisait jouer du violoncelle par sa fille, des heures... Seul avec elle, dans tous ces reflets rouges... Ses dieux tournent, tournent, ils n'ont pas le paradis calme. C'est une tempête, ce repos... » Oui, oui, c'est bien Cézanne, et voilà d'ailleurs la raison pour laquelle tout le monde s'emploie à cacher le récit de cette incroyable visite au Louvre. Pas assez « art moderne », sans doute, pas du tout nouvelle peinture table rase, futuriste, dadaïste, constructiviste, suprématiste, cubiste, surréaliste, impossible à enseigner à l'Université aujourd'hui, surtout aux États-Unis, vous n'y pensez pas, une telle agitation dans les termes... Cézanne était un puritain iconoclaste, n'est-ce pas? Un ascète? La peinture est bien faite pour aller vers sa propre disparition? « Il n'y a que deux modernes, ici : Delacroix et Courbet. Tout le reste est de la fripouille... Et quelqu'un manque : Manet. Il y viendra, comme Monet et Renoir. » Cézanne furieux de sensualité? Déjà Picasso imminent par là? « Regardez ces *Femmes d'Alger*, ces roses pâles, ces coussins bourrus, cette babouche, toute cette limpidité vous entre dans l'œil comme un verre de vin dans la gorge, on est tout de suite ivre... Si j'avais commis une mauvaise action, il me semble que je viendrais là devant pour me remettre d'aplomb. C'est bourré. Les tons entrent les uns dans les autres comme des soies. Tout est contre, travaillé d'ensemble, et c'est pour ça que ça tourne. C'est la première fois qu'on a peint un volume, depuis les grands... Il n'y a que les couleurs de vraies pour un peintre, on ne va pas vous traduire une tragédie de Racine en prose... » Courbet? « Il est profond, serein, velouté. Il y a des nus de lui dorés comme une moisson. Sa palette sent le blé. Sa *Vanneuse* du musée de Nantes, d'un blond si touffu, avec le grand drap roussâtre, la poussière du blé, le chignon tordu sur la nuque comme les plus beaux Véronèse, et le bras, ce bras de lait au soleil, ce bras tendu de paysanne, poli comme une pierre de lavoir... C'est sa sœur qui a posé... On peut la coller à côté de Vélasquez, elle tiendra, je vous en donne ma parole... Est-ce charnu, dru, grenu! Est-ce vivant! Ça s'impose. Et la neige! Il a peint la neige comme personne... Et ces lacs savoyards avec le claquement de l'eau, la brume qui monte des rives et enveloppe les montagnes... Et les grandes *Vagues*, celle de Berlin, prodigieuse, une des trouvailles du siècle, avec son échevèlement écumeux, sa marée qui vient du fond des âges... On la reçoit en pleine poitrine. On recule. Toute la salle sent l'embrun... Et les *Demoiselles*... C'est une infamie que cette toile ne soit pas ici... Là, écoutez, on peut dire Titien... Non, non, c'est Courbet. Ces *Demoiselles*! Une fougue, une langueur, un accablement heureux, un vautrement... Les mitaines, les dentelles, la soie cassée de la jupe et les rousseurs... Le renflement des nuques, le potelé des chairs... La nature s'est faite garce autour d'elles. Et le ciel bas, coupé, le paysage suant, toute la perspective inclinée qui fait qu'on les fouille... La moiteur, les perles chaudes... Il n'y a que Courbet qui sait plaquer un noir, sans trouer la toile... »

Faut-il encore croire Gasquet quand il nous montre Cézanne, pour mieux voir un Courbet mal accroché, prendre une échelle, grimper dessus, trépigner sur sa plate-forme, pendant que les gardiens accourent et l'interpellent? Cézanne brusquement gauchiste 68, tout rouge, entamant une véritable harangue dans le style : « C'est une infamie, nom de Dieu!... Non, mais à la fin, mais c'est vrai... Nous nous laissons toujours faire... C'est un vol... L'État, c'est nous... La peinture, c'est moi... Qui comprend Courbet? On le fout en prison, dans cette cave... Je proteste... J'irai trouver les journaux, Vallès!... » Il crie de plus en plus fort... Il descend enfin de son échelle et dit aux gardiens : « Je suis Cézanne. » Gasquet termine ainsi : « Il devient encore plus rouge... Il se fouille. Il fourre de la monnaie dans la main des gardiens... Il s'enfuit en m'entraînant... Il pleure. »

Oui, moi, j'y crois.

Vallès? Simplement ceci, sur Michelet : « La France, debout dans une page – avec son rire et sa mélancolie, sa grâce de félin et sa vigueur de fauve, couronnée de ses lilas frais et de ses raisins noirs. »

Allons, allons, pas d'émotion, le Louvre ferme, monsieur Cézanne. Revenez demain, nous transmettrons vos suggestions au Ministre. Non, inutile de faire intervenir l'Archevêché qui n'a rien à voir là-dedans. Parce que vous croyez peut-être que le cardinal-archevêque a un faible pour les *Demoiselles* ou l'*Olympia*? Quoi? Que dites-vous? Personne n'aime la peinture? Ah, c'est possible... Quoi? Nous vivons dans le sensationnel et la haine de la sensation? Ce n'est pas exclu. Mais vous oubliez que vous êtes un *désapparu* monsieur Cézanne! Vous ne le saviez pas? Vous ne vous êtes pas rendu compte que vous êtes mort, comme on disait autrefois, depuis longtemps? Allons, allons, bonsoir, rentrez dans votre Montagne...

D'où il s'ensuit, en toute logique, Picasso et sa péripétie communiste, de même que Matisse avec sa chapelle. Après quoi, tirons l'échelle, la peinture devient la domestique de l'environnement détruit, et l'écrivain le larbin du bla-bla market. D'autant plus larbin, d'ailleurs, qu'il prend des airs nobles, parle d'époques lointaines ou de civilisations disparues, reste sage comme une image (sa femme en répond), brode gentiment sur des thèmes éculés, évite surtout de penser, bafouille, se rembrunit, se tait. La peinture? Il n'ira pas se mouiller pour si peu. Et puis la sensation risque toujours d'être inattendue, dérangeante, trop vive, bousculante, en trop. Samuel Beckett, dans une lettre de 1948 : « J'ai rêvé de Matisse, il disait dans un argot de Dublin qu'il n'en pouvait plus *(I'm bet)*. Mon père disait dans un demi-coma : Fight, fight, fight. » Tout un programme. Fuck, fuck, fuck. André

Breton, lui, traitait Cézanne de « fruitier ». On ne cite ici que les plus importants, les propos et le goût des autres étant, en général, une désolation pure. Beckett s'appelait Becquet, ancêtres huguenots français réfugiés en Irlande. D'où des histoires de bec et de perroquet (que dit le perroquet depuis Flaubert? « Putain de conasse de merde de chiaison », et pour cause). « Je veux un théâtre sans peinture et sans musique, sans agréments. C'est là du protestantisme si tu veux, on est ce qu'on est. » De son côté, Thomas Bernhard : Bach, ce gros abruti; Saint-Pierre de Rome, cette merde, etc. « Oh tout finir. »

Bien.

Plus de peinture, de musique, de littérature; plus de mots, de gestes, de notes, de couleurs, de sensations ni de corps. Plus rien. Bravo et merci, les petits, suicidez-vous, désapparaissez, débarrassez le plancher, et maintenant : écran publicitaire.

Non, non, nous n'avons pas voulu cela!

Mais si, bien sûr, ruse du Diable!

Cézanne au Louvre, déjà (laminage du cylindre subjectif à extase) : « Nous ne sommes rien, nous ne sommes même plus fichus de comprendre... Dire que j'ai voulu briser ça dans le temps. Par manie d'originalité, d'inventer... »

Que fait Picasso vers la fin? Des Vélasquez, des Greco, des Delacroix, des Courbet, des Manet... Moi, « art moderne »? Surtout pas! Il prend les peintures avec lui, dans son Arche, les enferme, les radiographie, les double, les redouble, s'en va avec, glissade en déluge, adieu. Hou le baiser final! Le faune à mort! Le spasme étroit bacchanale!

Il ne touche pas à Cézanne, Picasso, Cézanne est sacré. Il faudra lui offrir un petit Cézanne, depuis New York, pour qu'il consente à se séparer d'une de ses premières guitares préparées. Donnant-donnant. Cézanne n'est ni imitable, ni détournable, ni parodiable. On le troque, on ne le vend pas.

Pas de valeur, ça.

Usage.

Demoiselles, Baigneuses, Demoiselles : comprenne qui pourra.

Et revoilà Monet peignant dix toiles à la fois comme un maître aux échecs menant dix parties simultanément, vite. Ils sont là sur le quai, au soleil, les joueurs d'échecs, en face de Luz et de moi, chaises et table de bois, concentrés, main droite sur la joue, indifférents à tout sauf au calcul permanent des pièces, paysage disparu, passants évanouis, bruits et mouvements évaporés dans la décision possible. Pourtant, il est évident que *ce sont eux qui y voient.*

Comme les personnages des *Joueurs de cartes* voient la peinture dans la peinture de la peinture.

Pendant que le grand *Palladio* orange et kaki, amenant ses visiteurs du week-end, glisse devant mes yeux, juste derrière les deux jeunes joueurs bleutés ne levant pas la tête de leur échiquier.

Luz lit un traité de physique théorique, elle prend des notes sur un petit bloc Pignastyl vert pomme. Des centaines de chercheurs doivent en faire autant un peu partout dans le monde, au même moment. Alors, ces *Machos*? On les cerne?

Blouson gris, yeux cernés. Pas beaucoup dormi.

Claude et Alice Monet n'ont pas manqué de se faire photographier place Saint-Marc, comme tous les touristes. Elle a un manteau à col de fourrure, un drôle de chapeau à plume, un pigeon calme sur le bras gauche, un autre, les ailes ouvertes, sur la main droite. Monet, barbu et trapu, en costume gris clair en a un sur la main droite, et un autre posé tranquille sur sa casquette. « Tu crois vraiment qu'il faut faire cette photo ? – Mais oui, mais oui. – Ne bougez plus ! » Matin d'octobre 1908. Il fait beau.

J'ai la même photo, ou presque, de mes parents, ici, après

la guerre (1948). Prenez la pose, cliché obligatoire. Maman a l'air très bien. Papa, moins.

Ah, Venise.

Deux petites Japonaises se photographient l'une l'autre. Le joueur de droite avance sa Tour.

Quand il peint *Impression, soleil levant* – matin par la fenêtre, au Havre – quarante traits pour donner le reflet du disque rouge soleil –, Monet écrit son nom à gauche et ajoute l'année : 72. Il a trente-deux ans. Toutes les toiles de Venise, en revanche, sont signées 1908. Impossible d'écrire 08. C'est ce qui s'appelle traverser un siècle. Soixante-huit ans, pas impressionné, technique identique, en plus jeune. Cézanne aussi, en vieillissant, sait qu'il va vers de plus en plus de fraîcheur.

Titien « traître », Watteau « superficiel et instable », Monet « inoffensif », Cézanne « fruitier »... Je lis une notice italienne sur Cézanne : « Doit-on lui reprocher son indifférence sociale, le fait de ne pas avoir abordé les grands problèmes de son temps, la guerre franco-prussienne, la Commune ? » Sur Picasso : « S'est-il enfoncé, pour finir, dans une obsession sénile ? » Conclusion générale : « Devrions-nous accepter l'idée élitiste que les artistes ou les écrivains sont les mieux placés pour juger ce qu'ils font ? »

Oh, tout recommencer, sans cesse.

Encore, encore. Et encore.

« Il faut commencer neutre. » « Le gris est d'un difficile effrayant à attraper » (Cézanne).

Le gris du pantalon d'un des deux hommes dans *Le Déjeuner sur l'herbe.*

Rentrons, ma jolie.

Pour que les esclaves modernes acceptent, et même revendiquent, leur condition, il faut les droguer d'images et de racontars en permanence, et qu'ils n'aient pas la plus petite distance, le moindre recul par rapport à leur propre situation. Sauf pour s'effrayer d'être à ce point gratuits et serviles, d'où soumission renouvelée et renforcée d'angoisse. Ça marche? Oui. On y est arrivé. Il ne leur viendrait plus à l'idée de regarder vraiment quoi que ce soit par eux-mêmes, et si jamais s'en formait en eux l'intention confuse, aussitôt sonnerie : danger. Vont-ils demander la permission d'avoir une perception qu'ils sentent devoir être imminente? Même pas. Mieux vaut y renoncer d'emblée. C'est ce que je disais : les files d'attente devant les musées ressemblent à celles d'autrefois, devant les ambassades, pour obtenir un visa. Ils viennent *pointer* ou se faire homologuer devant la caméra invisible. Nous avons été voir les peintures, le Maître n'arrête pas de nous dire qu'elles sont très précieuses, il va être content. Certains d'entre nous ont même fait l'effort particulier d'acheter un livre que, d'ailleurs, ils ne liront jamais, faute de temps. Ouf, à table. Télévision.

Et dans la vie? Pareil. Ne pas trop voir, éviter de toucher, ne pas entendre plus qu'il ne faut, ne plus écouter dès qu'un propos dépasse le seuil de banalité fixé à l'avance. La machine est autorégulée, tiède, hormonale, fœtale, les passions passées sont passées.

Soyons techniques : l'image, en elle-même, est dépressive. Moins elle imprime et plus elle déprime. Facile à comprendre : elle bloque le sexe en puberté, excitabilité sans satisfaction. Jouir, au contraire, entraîne un « trou noir » (effondrement du fantasme réalisé), un spasme et une échographie tremblée mais palpable. Toutes les femmes savent ça d'instinct : « A quoi pensais-tu? – A rien. »

Ça ne jouit plus, donc, ou le moins possible : trop dangereux pour l'installation irradiée. Sans cesse excité, sans fin déprimé, tel sera le spectateur du spectacle. Il, ou elle, est une reproduction. Il, ou elle, sera utilisé comme reproducteur de reproduction.

La terrasse, ici, est orientée plein sud. L'eau est à droite, devant, à gauche. Le soleil passe de gauche à droite, lentement, avant de revenir à la nuit.

Maintenant, prenons une carte de France : Monet tient solidement sa position du Havre et des environs. Impossible de le déloger de Giverny. Renoir est en renfort, Courbet a pris les forêts comme le sommeil des femmes. Cézanne, lui, règne sur le Midi. Si Monet est dans la marine, Cézanne prend les montagnes, les blocs, la géologie, les ombres chauffées solides, les constructions d'artilleur à la Vauban, les fortifications aérées. Matisse s'occupe des intérieurs : chambres, palaces, chapelle du château, piscines, fond musical. Mais il nous faut un général à Paris après Manet et Delacroix. Un Espagnol énergique? Picasso? D'accord.

Ils vont être battus, bien entendu, mais, comme souvent, les vaincus seront les vainqueurs. Pour l'instant, envoyez-leur des odalisques, qu'ils se détendent. Pas à Cézanne, c'est un farouche. Il vous enverrait promener.

Vous donnez le commandement suprême inter-armes à Watteau pour rappeler l'objectif de fond? Oui. Stendhal veut s'engager? Il a définitivement renoncé à Napoléon et à David? A ses cristallisations sentimentales? Qu'il vienne.

Certes, la situation est désespérée. Nous n'en aurions pas voulu d'autre. Froissart, vous tiendrez cette terrasse jusqu'au bout. Pas de prisonniers. Si vous arrivez à vous enfuir au dernier moment, tant mieux pour vous. On m'a dit que vous étiez un as du décrochage. Cette fois, il vous faudra de la chance. Vous en avez. Mais n'oubliez pas que vous êtes responsable des papiers, des lettres, des documents, du chiffre.

Vous êtes le tireur isolé dans le film, vous retardez l'adversaire, vous lui causez des pertes individuelles avec votre fusil silencieux à viseur, bien dans la tête chaque fois, hein, pas de blessures.

Nom de code de l'opération : Cythère. Schéma général : l'enlèvement d'Europe. Lieu du commandement : en mer. Cri de guerre : cylindre! Vos ennemis sont en deux dimensions, ils ignorent la troisième. Vous avez la troisième dans la deuxième grâce à la quatrième. La cinquième, partout diffuse, vous soutient. Anarchiste? Drapeau noir? Vieille formule. Vous êtes de toutes les couleurs. La matière noire n'a pas de drapeau. Au nom des trous noirs, des singularités et des sensations colorées, vous reprenez la France. Pourquoi elle? On vous le dira plus tard. Les instructions pour la phase suivante sont dans les enveloppes scellées le 18 juin. Que chacun fasse son devoir.

Geena :

– Je viens à Paris. J'ai besoin de te voir.

– Quand?

– Samedi. Nicole aussi voudrait te voir.

Elles me verront. On ira déjeuner à Bagatelle, sur l'herbe. Mon *dossier*? Peut-être. Pour l'instant, terrasse et bleu mouvant immobile, Luz allongée en bas près de la piscine, lisant le supplément « art moderne » du *Corriere* avec, en couverture, *Les Demoiselles d'Avignon*. Elle feuillette, elle allume une cigarette, recommence à feuilleter, regarde attentivement – quoi? *La Montagne Sainte-Victoire*, 1904-1908, 60 × 73, de Zurich? *La Première Sortie* de Renoir? Vais-je la filmer, de loin, profil blond, seins nus, en train de rêver rapidement sur *Le Moulin de la Galette*? C'est papa (le cardiologue) qui doit aimer ces choses-là, alors que maman (la chimiste) doit être plus réservée, à la protestante, mais pas hostile, curieuse. Au diable les parents, d'ailleurs, ombres vite effacées, clichés. Avoir été engendré par des photographies, des images de cinéma ou de télévision – ou bien par des tableaux (et lesquels) : vient le moment où il faut choisir. Mais la science? Ah, la science, mesdames et messieurs, la science, c'est autre chose... Je vous conseille d'ailleurs de vous entendre plutôt avec des partenaires se déplaçant dans les équations, sens de la relativité, arbitraire des mesures, si A alors B, le commencement et la fin sont des hypothèses, Dieu, maman et papa ne sont pas à chaque instant en retrait compressés dans l'avenir de l'humanité, la vérité existe comme développement d'elle-même. « Je souhaite dans ma maison/Une femme ayant sa raison » (Apollinaire). Il est touchant de penser que le nom d'Apollinaire a été le dernier prononcé par le vieux Picasso juste avant sa mort (Paris, belle époque, charge héroïque des formes). Notez, sergent : Apollinaire, de retour du front allemand, s'engage dans les troupes de la Confédération. Pas trop de livres érotiques dans ses bagages? Sade lui suffira pour faire le point sur le pont.

Le soleil joue avec les nuages. Cheminées, fractures, taches grises, rayons. Échancrures de bleu revenant en force... Vite, Monet, cinq secondes pour ce jaune clair... Tiens bon, Cézanne : les plans, la distance, le cône. On va survoler ça en avion dans deux heures. Très beau Cézanne, les Alpes, dans le hublot. Très beau Monet au départ, lagune. « Un corps n'est pas limité par une pensée, ni une pensée par un corps. » Et puis : « Un corps en mouvement ou au repos a dû être déterminé au mouvement ou au repos par un autre, et cet autre à son tour par un autre, et ainsi de suite à l'infini. » Et puis : « La fausseté consiste en une privation de connaissance qu'enveloppent des idées inadéquates, autrement dit mutilées et confuses. »

Matisse : « Je donne un fragment, et j'entraîne le spectateur par le rythme, je l'entraîne à poursuivre le mouvement de la fraction qu'il voit, de façon à ce qu'il ait le sentiment de la totalité. L'intérêt est certainement – comme dans la peinture en général – de donner, avec une surface très limitée, l'idée de l'immensité. »

Un exemple de 1948? *Intérieur à la fougère noire.*

« Un infime détail peut nous révéler un grand mécanisme. »

« L'équivalent linéaire, graphique, de la sensation du vol. »

« Ces vols successifs de colombes, leurs orbes, leurs courbes, glissent en moi comme dans un grand espace intérieur. »

« Mon dessin instantané n'est pas mon numéro principal. Il est simplement une cinématographie d'une suite de visions que je suis constamment au cours d'un travail de fond. »

« Les yeux à moins d'un mètre du modèle, le genou pouvant toucher le genou. »

« Une sorte de flirt avec moi-même qui finit par aboutir à un viol. Viol de qui? De moi-même. »

Se violer soi-même à travers un infime détail, pendant une fraction de seconde, comme un vol de colombes dans un grand espace intérieur.

Vous y arrivez? Bravo.

On est doué pour ce genre de choses au berceau, ou jamais. Impossible à apprendre, à transmettre. Ça peut se perfectionner si on survit à la répression qui ne manque pas de s'ensuivre. Beaucoup d'erreurs et d'illusions, mais boussole : fleurs, genoux, orbes, courbes, main, œil, respiration, genoux.

C'est seulement à trente-sept ans que Goethe se révèle un peu l'amour à lui-même, en Italie. A son retour, il épousera sa fidèle ouvrière. Printemps 1790 : parution des *Idylles romaines* et des *Épigrammes vénitiennes*. Stendhal : « Le plat Goethe. » Et encore (1808) à propos de deux visiteurs : « Parfaite nullité, douceur, vertu, mais lenteur effroyable, Allemands autant que possible. »

Freud, lui, fait son premier voyage en 1876, à vingt ans. Il a obtenu une bourse pour aller à Trieste étudier les organes mâles des anguilles *(sic)*. Une anguille mâle de première grandeur homérique va bientôt apparaître à Trieste : Joyce. Freud, en 1895, avec sa mère et sa femme : « Venise nous plonge dans l'enivrement. » Il est encore à Venise en 1900 (cette fois, c'est Proust qui est dans un coin du tableau). Encore en 1913 avec sa fille Anna, puis à Rome, lieu pour lui de névrose intense, avec sa belle-sœur, Minna. Problème : qui était le Moïse de Michel-Ange? Chacun ses questions. Signorelli, Léonard de Vinci, Michel-Ange... Pas la moindre mention de Titien ni des Vénitiens. Cette *Vénus au miroir*, pourtant, Docteur... 1895, lettre à sa femme : « Dans l'enivrement où nous plonge Venise, nous sommes extraordinairement bien et toute la journée nous ne faisons que marcher, aller en bateau, regarder, manger, boire. »

Normal, mais un peu court. Dérive ultérieure sur l'Antiquité et Pompéi : fatal.

Passons sur Nietzsche, fils de pasteur (« Luther, ce moine fatal ») qui finit, tout près, par se prendre pour l'Antéchrist au nom de Dionysos. Allons, allons, venez, cher philologue, je vous montre *sur le même plan* la *Pentecôte* de Titien et *Marsyas puni par Apollon*. Ou encore *Vénus bandant les yeux de l'Amour* et *Saint Jean faisant l'aumône*. Contradiction? Pas la moindre. C'est irritant? Sans doute. Gênante, géniale, génitale Italie. « Vous êtes en train de faire l'apologie de la Contre-Réforme contre le nihilisme qui règne depuis deux siècles? – Ni plus ni moins. – Monstre! »

A Paris, pour rentrer chez moi, je passe devant le 34 avenue de l'Observatoire. Quelqu'un est venu déposer un bouquet d'œillets rouges en souvenir de Cavaillès. Jusqu'à quand ce rituel de commémoration aura-t-il lieu? Tout s'oublie, mais la plaque durera autant que l'immeuble, dans l'ombre. Je regarde, juste à côté, la statue de Théophile Roussel (1816-1903), sénateur, membre de l'Institut et de l'Académie de Médecine. Il a lutté, paraît-il, contre l'alcoolisme et pour la protection des enfants. Il est d'ailleurs représenté debout au-dessus d'une femme se penchant sur deux bambins souffrants. Et c'est sans doute à juste titre que Tissier, lors du jubilé célébré en son honneur le 20 octobre 1896, a pu s'écrier : « Protéger l'enfant, c'est aimer deux fois les hommes. »

Nous ne dirons pas le contraire.

Tout m'a semblé normal avec Geena et Nicole. Bien entendu, il y aura parfois des *visites* dans le palais. Autre transfert par bateau? Le mois prochain. Encore « Cézanne »? Toujours accompagnée de ses beaux enfants blonds, mais, cette fois, avec un autre mari? Rien n'est fixé.

Geena :

– Tu ne veux vraiment pas venir à New York?

– La balle revient en Europe.

– C'est ce qu'on dit. Mais l'hiver là-bas, les inondations?

– Confort.

– Ton Américaine reste avec toi?

– Elle a ses études en Californie.

– Richard l'a trouvée jolie.

– Elle l'est.

Nicole :
– Et l'exposition Titien?
– Fameuse.
– Il manque beaucoup de tableaux?
– Heureusement : c'est déjà assez fatigant comme ça.
– Je viens dans trois semaines. On ira ensemble?
Ça durera ce que ça durera.
Froissart, tenez cette terrasse.
Luz revient d'un Congrès à Rome. C'était bien? Plutôt. Un peu chaud. On prend un dernier verre au *Linea d'Ombra*. Je retrouve ma ville de nuit et d'eau, vite dessinée et peinte à l'aveugle. J'ai la main sur son bras nu, je ferme les yeux.

On entre encore une fois par la petite porte de gauche, l'exposition ferme à onze heures du soir, arrêt de la vente des billets à dix heures, le bon moment est entre onze heures et minuit. Le palais se vide peu à peu, on dirait que les peintures, impassibles mais offusquées, se mettent à respirer. Elles étaient monumentales, elles deviennent énormes, redoutables, écrasantes, méchantes, elles ont une force d'agressivité comme il n'y en a jamais eu. « Tu n'es pas obligée de venir. – Je viens. » La troisième fois. Je l'ai amusée en me mettant à quatre pattes dans la première salle, comme un chien. Nous sommes des chiens. A l'odeur. J'ai demandé un escabeau pour mieux sentir – ou croire sentir – les surfaces. Sept fois la nuit, ce n'est qu'un début, il faudrait des dizaines de fois, dormir là, sur place, vivre là, la peinture exige, c'est la moindre des choses, que l'on vive en même temps qu'elle. C'est le regard par hasard qu'il faudrait, le regard qui ne s'attend pas à voir mais se trouve vu malgré lui. Enfin, on peut toujours faire comme si. Voilà, on descend des appartements après dîner, on passe une fois de plus dans le grand boudoir à peintures, rien de spécial, l'habitude, attention distraite. Ça va se composer tout seul. J'ai besoin de cette armure pour entrer, portrait de Francesco Maria della Rovere, inouï dans le noir et le rond des reflets, avec ses tubes, ses bâtons, son traitement cylindre à la sphère. Il y a un homme dans tout ça, un regard qui peut traverser tout ça, l'acier, le bronze, la pierre dressée, le bois, les tentures? Dos au tableau. L'homme au gant (le doigt), l'homme aux yeux glauques... Et l'autoportrait, toujours noir, vieillard sévère aux yeux plus loin que le temps, pinceau ramené vers soi indiquant le sexe absent (le sexe, c'est l'ensemble des toiles). Bon, les femmes, maintenant : toutes les blondes vénitiennes, miroir, lit et musique, vierges si vous voulez, vénus plutôt, celle-là en train de bander les yeux de son enfant à l'amour, nœud ruban jaune-orange, avec ses deux assistantes prêtes pour la chasse. Nous avons le nu secret, nous avons la matière à pouvoir. L'argent? Trois révélations. D'abord la simonie, le soudoiement du Christ (pas question, pour qui me prenez-vous?). Ensuite, l'aumône : pièce de monnaie jetée vers le bas suppliant par un saint Jean en surplis blanc, livre en équilibre, ciel bleu, tête un instant détournée, merci. Enfin, la pluie d'or : Danaë, nue, sur son lit, fait le plein de petite monnaie d'or ruisselante. La prostitution est la règle, la voilà généreusement vaporisée comme il faut, Marie-Madeleine a toutes nos préférences. La mort? Eh oui, mais sans pathos, ni crucifixion ni résurrection, on met simplement au tombeau dans un mouvement d'orage. La chose est prise au sérieux, c'est-à-dire au plus près des volumes et des ombres, il s'enterre lui-même dans son clair-obscur, Titien, mais qu'est-ce qu'un cadavre sinon une équation technique à traiter, comme le reste, à la flamme, au torse, au flambeau? Un saint Sébastien est préférable à un Crucifié parce que les flèches, fichées selon des angles différents, font tournure. Il noue, il dénoue, il fait tourner, il bombe, il excave, il est en écho de partout, à feu vif ou doux, le regard du joueur d'orgue n'en finit pas d'atteindre l'entrecuisse de la femme blonde, le nôtre non plus, c'est prévu. Pour finir, l'œil ne convainc plus Titien, il y va aux doigts, avec tout le cerveau ramifié de la tête aux pieds, la couleur lui vient, chaude et profonde, comme un sang sur la peau peignable. Il en vient aux tatouages directs, enfant rose et chien roux, flair museau bien en viande, c'est ça : la trace du sang, les animaux en parois. Il hume, il lappe, il gémit en silence. Bout des doigts, bout de la langue : il lèche, il s'essuie, il renifle, il respire en voyant ses poumons, ses bronches, ça donne les feuilles et les branches, tout le dégradé du sous-bois. Il y voit mieux en touchant, que voulez-vous, il vous troue le spectacle, cruel, sadique, excité de joie. Le Marsyas pendu par les pattes a osé défier Apollon? Eh bien, leçon : on l'écorche sur fond de violon, lentement, délicatement, de façon que son œil, en bas, s'agrandisse peu à peu d'épouvante. On le taillade au couteau, petit chien goûtant le rouge dégoulinant, satyre amenant un seau – ce *seau*! –, l'ensemble avec curiosité et sourire. C'est affreux, c'est magnifique. N'allez pas défier Apollon au chant! Vous vous retrouveriez pendu dans cette boucherie forestière en train de vous faire inciser de partout pour la plus grande gloire de notre mixture à palette. N'allez pas non plus, jeune femme, nouvelle Lucrèce, résister à ce Tarquin fou! Riposte de viol immédiat : perfide Albion albinos forcée au poignard par un Espagnol de l'Inquisition. Voilà le grand tableau de la Contre-Réforme. Madame Réforme est projetée dans le coin droit, le mouvement de ses bras pour repousser l'agresseur est un tour de force, le bras gauche a l'air de sortir du ventre, elle découvre en blanc trois naissances de sein en levant le bras droit saisi par l'attaquant au poignard direct. Pas d'issue, leurs genoux se touchent, il va la culbuter, l'égorger, en user. Quoi? On ne veut pas baiser? On a ses réticences? On conteste la primauté de Rome? La virginité de Marie? Le culte des saints? Les désirs de Vénus? Le pinceau de Venise? On veut limiter la profondeur des images, après le temps qu'il a fallu, depuis la préhistoire, l'Antiquité sculptée, le plat Moyen Age, pour représenter enfin correctement, en chair et couleurs, une femme nue? On prévoit déjà d'interdire, petite peste, les Demoiselles du bord de la Seine, l'Olympia, les Baigneuses, les Odalisques, les Demoiselles d'Avignon? On envisage de trafiquer sur le sexe honteux en coulisses? A l'abordage! Au lit!

L'amiral Titien envoie ça à Philippe II, lequel n'a pas médité suffisamment le programme avant de lancer son Invincible Armada au Nord, contre l'hérésie puritaine. Tant pis, l'amiral l'a dit. La peinture est un viol, il faut la surveiller de près, elle l'a toujours été, elle le sera toujours. Qu'on l'anesthésie est donc normal. Bromurez-moi ce Titien, il va encore nous modeler des supplices comme des paradis, amour sacré, amour profane... Quel magdalénien digital, il a mangé de l'aurochs? Du bison? Lui si raffiné, si intérieur, pourtant, et cette fureur en même temps, cette science... Une telle convergence de dons est-elle humainement possible? Espérons que non.

Et pourtant si.

J'ai presque oublié Luz qui s'est assise en face de ce *Tarquin et Lucrèce.* Je tourne autour du tableau, je vais, je viens, le palais ducal est devenu une grotte, nous sommes à Lascaux, je regarde la toile à la bougie tremblante, au carbone 14, à la voûte crânienne. Et tout se mélange, maintenant, le sarcophage, la caverne, le puits, les cerfs nageant dans la brume, le chaman en érection à tête d'oiseau, Actéon poursuivi par Diane et ses chiens, Pâris bandant dans le Watteau du Louvre, *La Fête à Venise* dans son coffre-fort sur l'eau, les murs, le luth, les mains, tous ces tombeaux sans tombeaux...

– Hello.

Le dernier gardien complice éteint les lumières. Il faut partir.

Épuisant Titien... La très bonne peinture vous tue et vous allège en même temps. Votre corps a toujours tort d'être là avec son gros sac psychique... Une avalanche de tableaux vous anéantit, un seul suffit pour vous mettre en cause. Qu'est-ce qu'ils ont cherché, tous ces peintres? A avoir raison contre vous, là, jeté dans le faux temps, le pseudo-espace. Avec eux, on est dans le siècle S, l'année A, le mois M, le jour J, l'heure H. Que cela se passe en 1560, 1720, 1863, 1908 ou 1970, l'enjeu est le même. Il y a quinze mille ans, idem.

Drôle de nuit. Apollon poursuit Marsyas, et Tarquin Lucrèce, des baigneuses se changent en arbres et Actéon en cerf de Lascaux, le chevalet de Monet tombe à l'eau, Cézanne a une apoplexie en plein soleil, les danseurs de Watteau éveillent une clairière de nacre, une prostituée marocaine se coule dans un rouge vif, une demoiselle du bord de la Seine s'en va avec l'Olympia... Luz dort tranquillement à côté de moi. Je me lève, je vais boire trois verres d'eau, je sors dans le jardin noir, je marche à quatre pattes dans l'herbe... Sous la lune... C'est drôle... La peinture n'est pas faite pour être vue, je me dis, mais pour être emportée au lit et dormie. Mieux : *mourue*. A l'envers des rêves. Comme il les a bien *mourus*, Titien, ses empereurs, ses reines, ses pages, ses généraux, ses princes. Traître? Tu parles. Assassin de grand style, plutôt. Au cœur du pouvoir. De l'autre côté du mouroir. Comme Vélasquez, mais plus libre (il a tout Venise poussant derrière lui). Il faut traiter le pouvoir par le cône, le cylindre, la sphère et l'annulation en couleurs. Cette draperie, là... Rouge sombre... Marsyas écorché... Soi-même...

Le jour est là, maintenant, tache de lumière sur la page. Où suis-je? Je n'ai pas dormi, j'ai dormi, je ne dors plus, aucun souci. Soleil rouge, brume, eau bleue. Il est six heures du matin. Les mouettes crient.

A sept heures et demie, je vais préparer le petit déjeuner de Luz. J'aime la regarder, rose, assise contre son oreiller blanc. « Pourquoi tu me regardes comme ça? – Peinture. – Je ne vais pas pouvoir bouger mon bras. – Mais si. » Portraits de Geena. Bientôt, portraits de Nicole. Tous les portraits, autrefois, de Bella et de Fleur.

Cézanne : « Alors, vous voyez, ce petit, petit ton, ce minuscule ton qui ombre, sous la paupière, s'est déplacé... Bon : je corrige. Mais alors mon vert léger, à côté, je le vois, il sort trop. J'assourdis... Je suis dans un de mes bons jours, aujourd'hui. Je me raidis. J'ai ma volonté en main. Je continue par touches insensibles tout autour. L'œil regarde mieux... Mais l'autre, alors. Pour moi, il louche. Il regarde, il me regarde, moi. Tandis que celui-ci regarde sa vie, son passé, vous, je ne sais pas, quelque chose qui n'est pas moi, qui n'est pas nous. »

Il est à remarquer que, dans cette anecdote rapportée par Joachim Gasquet, Cézanne est en train de faire le portrait du père (Henri Gasquet) devant le fils, dans son atelier du Jas de Bouffan, un après-midi de fin d'hiver.

Les deux Gasquet sont aujourd'hui l'un à Prague (le fils), l'autre (le père) à San Antonio, Texas.

Cézanne : « Il faut être incorruptible sur son art, et pour l'être dans son art, il faut s'entraîner à l'être dans sa vie. »

« En somme, il y a le savoir-faire et le faire-savoir. Quand on sait faire, on n'a pas besoin de faire savoir. Ça se sait toujours. »

Joachim Gasquet sur Cézanne : « Il regarde son poing fermé. Il y suit les passages des lumières aux ombres... Il se remet à peindre. Le portrait est très avancé, sur la joue et sur le front demeurent deux carrés blancs. Les yeux vivent. Deux fins traits bleus prolongent le dessin du chapeau jusqu'au bord de la toile. Il a commencé à couvrir et à fondre l'un de ces traits en allongeant les fonds. Un oiseau se bute aux vitrages... »

Cézanne : « Au diable s'ils se doutent comment, en mariant un vert nuancé à un rouge, on attriste une bouche ou on fait sourire une joue. »

Gasquet : « Il va à un tas de toiles, cherche... Il sort trois natures mortes, il les étale contre le mur, à terre. Elles éclatent, chaudes, profondes, vivantes, comme un pan de mur surnaturel et toutes enracinées, pourtant, dans la plus quotidienne réalité. Dans l'une, sur une nappe, un compotier avec quatre pommes, un raisin, un verre à pied élancé, évasé comme un calice, à demi plein de vin, un couteau. Les pommes se détachent sur une tapisserie à fleurs. A gauche, dans le coin, la toile est à moitié signée. »

Cézanne : « Les objets se pénètrent entre eux... Ils ne cessent pas de vivre, comprenez-vous... Ils se répandent insensiblement autour d'eux par d'intimes reflets, comme nous par nos regards et par nos paroles. »

Au diable s'ils se doutent comment, en rapprochant de loin quatre adjectifs ou en répétant un verbe, on change de vision du monde ou de philosophie, comme on veut.

– En somme, vous faites du pillage à l'envers?
– Si vous voulez.
– Ce rassemblement, ces citations, ces collages : le roman comme encyclopédie et arche de Noé? Après vous le déluge?
– Voilà. En clair. Les membres épars d'Osiris. Avec phallus. On transmet à l'avenir improbable. S'il y a eu quelqu'un, il y aura peut-être quelqu'un.
– Reprenons : votre idée est bien celle d'une tyrannie et d'une barbarie esclavagiste montante?
– Exactement.
– Nouvel analphabétisme institué sur fond de technique et de domestication de la Science? S'appuyant sur la perte de mémoire, la morbidité obligatoire, la toute-puissance de l'image en direct, la surinformation pour rien, la destruction ou la manipulation des sources, le vol ou l'interprétation aplatie et unilatérale des documents et des œuvres d'art?
– Pillage du Sud.
– Ah oui, votre histoire de Sud. Vous êtes donc un écrivain engagé?
– Et comment. Dans les divisions invisibles, spectrales, et pourtant toujours grises et jaunes, des généraux Beauregard, Lee.
– Politique, donc.
– On ne peut plus.
– Vous en acceptez les conséquences?
– Il me semble.
– Vous n'hésitez pas à vous placer au-dessus des lois?
– Très bonne expression.
– Votre projet se distingue de celui de vos prédécesseurs?
– Non?
– N'est-il pas trop ambitieux? Dérisoire?
– Du point de vue de l'ennemi, sûrement.

– Votre obsession est bien celle-ci : sauver, conserver, stocker, en attendant des jours meilleurs? Et prétendre, en plus, qu'il s'agit d'une action subversive?
– Vous m'avez compris.
– Vous trouvez sans doute la littérature de votre époque nulle?
– A peu près.
– La peinture aussi?
– Sa laideur et sa vulgarité sautent aux yeux.
– Votre maoïsme de jeunesse et votre papisme ultérieur ont été aussi des actions sudistes?
– C'est l'évidence.
– Développez.
– C'est fait.
– Pourquoi Venise? Lutte contre les Turcs?
– Entre autres.
– Vous êtes pour l'amour?
– A fond.
– Pas de regrets?
– Aucun.

– L'entente entre homme et femme est impossible. Vous la déclarez cependant envisageable. Comment?
– Distance pensée. Ironie.
– Précisez.
– En vers :
Nous naviguions sur l'Ontario,
Elle me détestait, moi aussi.
Nous jouîmes ensemble dans un cri :
On ne baise bien qu'a contrario.
– C'est malin.
– Plutôt.

Luz mange un croissant. Je la regarde manger ce croissant. Il est étonnant de voir une jeune et jolie femme manger un croissant.

J'aime le lin, le coton, la toile.

Hier, en entrant vers dix heures du soir, dans le conservatoire Benedetto Marcello dont la porte était restée ouverte, nous sommes tombés, dans une salle du fond, sur trois musiciens en train de répéter : un violoniste, un violoncelliste, une jeune brune au piano. En nous voyant, ils se sont interrompus net.

Il y avait, à minuit, un orchestre rock sur les quais : une fille au micro, des types à la guitare électrique. Ça criait fort. Deux filles se sont mises à danser ensemble, ivres.

Luz allongée sur le divan de la bibliothèque, tombée du jour chaud, T-shirt blanc, jambes nues. Elle lit un livre de physique théorique : « Shit, il y a quelque chose qui ne va pas, mais quoi ? »

Un papillon rouge-brun sur ma table : il y a très peu de papillons ici.

Ciel gris, dormi, machine à écrire, présence en relief des lettres : étrange de se dire qu'on va composer *du français.*

ADN : 6 milliards de « mots ». Chaque mot est composé de 5 000 syllabes pour les plus courts et de plus de 2 millions pour les plus longs. Composantes : Adénine, Thymine, Cytosine, Guanine. Combinatoire : ça finit par te donner toi, et toi seul.

La vieille papeterie (elle existe depuis 1890), près de l'Accademia : « Monsieur, on va nous déplacer, c'est un assassinat. » Papier à dessin, crayons, pinceaux, tubes de couleurs, palettes. Monet a dû s'approvisionner là.

Le curé, une fois de plus, après son Élévation : « Mistero della fede. » Il n'a pas l'air de s'en lasser. Deux fois par jour.

Un cardinal vient de déclarer que le *Risorgimento* était sans doute à la base de la rapide extension, par la suite, du fascisme et du communisme. Tollé socialiste et laïque : calomnier une aussi grande épopée ! Nationale ! Mondiale ! Morale ! Retour du cléricalisme noir !

Trois jeunes moines franciscains contemplent la *Vénus au miroir*, de Titien, débordante de sensualité dorée. Moi : « Vous regardez ça ? Vous n'avez pas peur que ce soit un péché ? » A peine gênés, ils rient. L'un d'eux regarde le titre du petit livre dépassant de ma poche gauche : Stendhal, *Vie de Henry Brulard*.

Luz est draguée par un grand type brun, trente ans : « Vous êtes seule ? – Mon mari m'attend. »

Un Japonais, au restaurant, photographie, avant d'y toucher, son plat de langouste.

La maison rouge peinte par Monet est entourée d'une palissade. Travaux. « Pour longtemps ? – Un mois. » J'aurai été un des derniers à la voir.

Le président de la République italienne console régulièrement, avec componction, les familles des juges victimes d'assassinats mafieux. Il a l'air d'un vieux vampire fatigué. Travail à plein temps.

Évidemment, de nouveaux sacrifices sont demandés à tous. Augmentation des taxes. Le parti communiste, comme partout, cherche un autre nom.

L'*Odysseus*, bleu et blanc, une fois de plus, passe.

Dans une trattoria, un soir, la serveuse, quarante ans, brune, forte, assez belle, très gaie, pince, en passant, la joue de Luz.

Quand il fait très chaud, parfois, les mouettes viennent jusque sur l'herbe, près de la piscine.

Les Russes essayent d'assassiner le Pape : ils se tapent le retour des popes. On les avait prévenus. En vain.

Faudra-t-il désormais, pour étendre la démocratie, tuer beaucoup d'Arabes à la fois? On en parle.

L'île de Taiwan célèbre avec faste la mémoire de Confucius : c'est du moins ce que disent les photographies d'agences.

Ce matin, moment d'émotion chez Luz. Brèves larmes. « On ne devrait pas mourir. »

Les Présidents se rencontrent. Les sommets se succèdent. Les vrais chiffres ne sont pas connus. A terre, le mécontentement, par moments, s'exprime non sans timidité. Il est sévèrement rappelé à l'ordre.

Tous les historiens d'art s'étonnent : les deuils répétés et cruels qui le frappent ne semblent pas ralentir la création de Titien. Il faudra la peste pour qu'il meure. D'où, après l'épidémie, l'église de la Santé.

Avec Luz, en barque bleue, devant le cimetière San Michele, l'île rose des morts. Je lui ai acheté de belles jumelles de nacre.

Elle téléphone à San Francisco. « Tout va bien? – Oui. »

Une amie journaliste me dit : « Que faire? – La même chose. – Pourquoi? – Pour rien. – Je voudrais vous y voir. – Non. – Évidemment, vous, vous êtes écrivain. – Un écrivain n'est plus rien. – On dit ça. »

Et pourtant, c'est ainsi : tout peut être écrit, mais il n'y a plus personne pour le lire.

Une femme – trente ans, blonde, bourgeoise, bijoux, fine – drague Luz au restaurant. Rires, séduction, approches. Pendant que je suis aux toilettes : « Vous venez chez moi? » Luz : « Excusez-moi, je prends l'avion demain matin. – Peccato » (dommage).

Regard sur les femmes : évaluation, refus ou acceptation

détournée : une autre fois, peut-être. Que de papier n'aura pas été rempli !

Couperin, publication des *Concerts royaux*, 1722 (un an après la mort de Watteau) : « Les pièces qui suivent sont d'une autre Espèce que celles que J'ay données jusqu'à présent. Elles conviennent non seulement au Clavecin, mais aussi au Violon, à la Flûte, au Hautbois, à la Viole et au Basson. Je les avois faites pour les petits Concerts de chambre où Louis quatorze me faisoit venir presque tous les dimanches de l'année. Ces pièces étaient exécutées par Messieurs Duval, Philidor, Alarius et Dubois. J'y touchois le Clavecin. Si elles sont autant au goût du Public qu'elles ont été approuvées du feu Roy, J'en ay suffisament pour en donner dans la suite quelques volumes complets. Je les ay rangées par Tons, et leur ay conservé pour titre celuy sous lequel elles étoient connues à la Cour en 1714 et 1715. »

Ils sont irréductibles ? Toi aussi. Passe.

Je n'ai pas parlé du magnolia ? Silence plus profond, face à l'acacia. Il prend la nuit à revers, l'approfondit, la vernit, l'absorbe. Acacia : début d'après-midi clair. Les lauriers, eux, prennent l'espace sombre et frais en largeur.

Longs soirs rouges, léger vent, rides légères, pied de nez pour rire dans le commencement bleu-gris de la nuit.

L'odeur des branches coupées. L'oreille des chats. Les interminables paquets de crépuscule dans Monteverdi : chœur en ronde, chacun et chacune, retardant le plus possible la disparition du son, amen, amen, et encore, le contraire de la mobilisation collectivisée luthérienne, au revoir, adieu, au revoir, adieu, dans les siècles des siècles, amen.

Mais non, chant du coq, on est là, on se redresse : Watteau, toujours ! Impassible *Gilles* ! Shooté *Mezetin* ! Tenant la terrasse !

Plus le temps passe, ou fait semblant de passer, plus ces tableaux sont incroyables. Je les projette à nouveau sur le mur blanc, *Gilles*, le *Mezetin, L'Indifférent, La Finette, Le Donneur de sérénade, La Toilette intime, Le Jugement de Pâris, L'Embarquement pour Cythère, La Fête à Venise, Les Charmes de la vie, Les Plaisirs du bal.* Ils finissent par rentrer les uns dans les autres, soleil innocent et blanc du grand Gilles, avec son faune explicite à droite, et l'œil non moins déclaratif de l'âne, en bas ; clarinettiste et jet d'eau des *Plaisirs*, tableau copié par Turner et dont Constable dit qu'il semble avoir été « peint avec du miel, si fondu, si tendre, si moelleux, si délicieux » ; cannes insensées des personnages de Cythère, mâts et amours, donne-moi le bras, viens là ; les plis cassés, la soie, les feuilles, les colonnes, les troncs et les bancs de pierre ; les mains jouant, repoussant, invitant, articulant ; les guitares, les éventails, les conversations, les saluts de danses ; les roux, les bleutés, les verts, les rouges rentrés... Personne n'est moins indifférent que l'Indifférent qui déploie devant vous, de gauche à droite – de droite à gauche pour lui – la ligne magnétique, non représentée, infranchissable, de la substance dans laquelle il flotte. Bras faussement ouverts (il ferme) répondant au pied gauche en fleur, corps végétal de ciel, cape d'illusion velours sur l'épaule, il ne regarde que l'absence de monde où nous croyons l'observer. Tout est vide. Tout est un et différent pour qui sait danser les plaisirs du vide, jouer, jouir et s'éclipser dans l'instant. Le sexe ne mérite pas la mort, non, mais à la mort, assurément, on doit infliger le sexe. Pas d'autre sens à trouver. Ils sont si violents, ces tableaux de rêve, si sûrs d'eux-mêmes, si graves dans leur joie diffuse, qu'ils ne cesseront pas de nous précéder dans le temps. L'Indifférent, la Finette : quel couple. Le seul, je crois, qu'on ait jamais pensé à égalité, sans réduction possible. Joue, guitariste, sur ton banc de pierre, pour ces deux seuls vrais habitants du drame. Lève-toi, Gilles-soleil, éclaire leur définitive absence de culpabilité. Quant à vous, personnages de Cythère, du Bal, des Fêtes à Venise, on ne vous demande même pas une pensée reconnaissante, vous êtes libres de tout oublier. Au fait, à qui donnez-vous votre pomme? A la belle vicieuse de *La Toilette intime*? Évidemment.

J'éteins. Je pense aux coffres-forts du *Player II*, du *Sea Sky*. Bonne nuit sur l'océan, mes enfants.

Fax de Geena : « OK pour la permanence. »

Je me demande quelle tête ferait celui ou celle qui découvrirait ici ce message à ma place : « OK pour la permanence. *Mozart*. »

Une bouteille de champagne. Six heures du soir, midi là-bas, cloches, brouillard.

Je rallume les tableaux en insistant sur *Les Charmes de la vie* pour revoir, une fois de plus, la petite Luz blonde et verte à guitare, à gauche, dans son fauteuil rouge. Le détail que je projette est grandeur nature. Tant d'événements sur une surface aussi limitée? Oui.

Le tableau est à Londres. C'est après son voyage en Angleterre que Watteau, à qui le climat ne convenait pas, s'est mis à tousser de plus en plus et s'est dirigé vers la fin : 18 juillet 1721, à Nogent-sur-Marne. Mort en plein été : bonheur.

Maintenant... Quoi? Non... Hallucination? Mais non... Quelque chose dans *L'Indifférent*... Ce renflement gauche-droite au confluent de la veste et du pantalon... Cette aspérité-sommet indiquée, ce biais cylindré, cette bosse... Vous n'allez quand même pas me dire... Et pourtant, si... Montagne Sainte-Victoire... En biais, canonique, dans le pantalon... Oh, mais c'est qu'une érection ne se pense pas *comme ça*, figurez-vous... Il faut que tous les éléments et toutes les matières naturelles y participent... C'est exactement ce que je disais : l'élégant messager de nacre, doux, désinvolte, gracieux, avec son fil à couper l'espace, dans son éclaircie de bois lavé, argenté, n'est pas du tout indifférent, au contraire... Il bande, impossible d'en douter... Oui, en français ça se dit comme ça. Je n'y peux rien si c'est le même mot pour bander les yeux, par exemple. Et donc, d'après vous, Cézanne, même message? Mais bien sûr... N'en parlez surtout pas aux critiques, aux conservateurs, aux universitaires ou aux fonctionnaires... Élucubration gratuite... N'importe quoi... Obsédé... Les peintres ne sont pas obsédés, peut-être? L'*Olympia* fait scandale de son temps? Mais on oublie toujours qu'elle est peinte par un Manet de trente et un ans... Ah bon? Si jeune? Mort à quel âge, déjà? cinquante et un? Né en 1832... Deux ans après *Le Rouge et le Noir*... Générations, transmission du flambeau, en douce... « Les yeux qui liront ceci s'ouvrent à peine à la lumière »... Voilà comment reprendre toute l'histoire... Point de vue des fibres, au Sud... Si vous préférez : Joyce naît un an avant la mort de Manet... Céline a déjà quatre ans quand Mallarmé suffoque... Proust a vingt-trois ans à la naissance de Céline... Joyce a sept ans au moment de la Tour Eiffel... A la mort de Sade, Stendhal a trente et un ans... Et ainsi de suite... Complétez la liste... L'esprit souffle où il veut, histoire secrète, au grand dam de la police globale... Chacun fait ce qu'il peut selon la répression de l'époque... L'auteur de ces lignes apparaît en même temps que *Guernica*, il est bercé par de solides paysannes réfugiées basques... Il entend leurs voix... Leur langue préhistorique... Il est pressé sur leurs seins... Il sent leurs cheveux, leurs cous, leurs odeurs; il s'éveille parmi leurs rires... Dans sa chambre, plus tard, une reproduction de l'*Assemblée dans un parc*, de Watteau... Le tour est joué, il n'en faut pas plus... Une image, une peau, un accent, une courbe...

Oui, il faudrait vraiment décider de ne pas la voir, cette bosse... Soulignée par l'ouverture-fermeture des bras... Et le haut de la montagne aux dix bleus de Cézanne, surmonté de son petit nuage touché vert... Sens des îlots blancs laissés sur la toile. Allègement, souffle, plan par plan... Vous ne croyez tout de même pas que Monet, Cézanne ou les autres s'intéressaient au paysage en soi, soleil levant, couchant, reflets d'eau, nénuphars, meules, peupliers, pins, montagnes? Oh, ça marche. Jamais on n'a compris un bloc avec autant de soin, de morale et de précision locale, touche sur touche, animal frais coloré... Et le messager indifférent, donc, 25,5 x 19, comme la Finette? Si petit? Si grand?

Divagations... « Esprit curieux, un peu fou », dirait Nicole... « Amusant » (Geena)... « Trop classique » (Richard)... Je le dis à Luz? Après trois verres de champagne? On ne doit parler de peinture qu'en action. Par exemple : « Voulez-vous me dire par quel miracle cette étoffe rouge, à droite, dans *L'Amour sacré et l'amour profane*, de Titien, tient toute seule en l'air comme si cette femme nue avait deux bras gauches? – Il s'agit d'un effet. – En effet. »

Je ne laisse plus que *L'Indifférent* sur le mur. Hallucination. Allusion? Illusion? Inadmissible collision-collusion? Ce n'est pas moi qui fais le texte pour le catalogue, ni qui emmène les enfants des écoles ou les touristes au musée. Enchaînons donc sur les charmes d'ailleurs surestimés d'une époque disparue ou sur le dur et flaubertien labeur nordiste des peintres en plein air. Vous voyez quelque chose *là*, vous? Quoi?

Je dois changer des dollars, je vais à la banque. Tout le monde s'agite, longue file d'attente, les ordinateurs sont en panne. Une autre banque, alors? Non, monsieur, *c'est tout le réseau.* Aucune opération comptable ne peut avoir lieu, l'ensemble fonctionne à l'électronique. Un des caissiers pianote nerveusement sur son clavier, écran blanc, écran noir, rectangles immédiats disjonctés, affichage mémoire en désordre. « Et mon chèque? », dit une grosse Allemande, « mon chèque? – Il est à l'intérieur, madame, il va ressortir, ne vous inquiétez pas. – Je veux mon chèque! »

Le réseau? Mais lequel? Le quartier? La ville? Le pays? La planète? Trou noir ou virus dans les circuits? Suspension de séance chez Sotheby's et Christie's? Dans les livraisons d'armes? Les aéroports? Les ports? Interruption des distributions de poudre? Prise générale d'otages? Ah non, finalement, fausse alerte. Tous les yeux sont fixés sur les écrans. Mais il faut attendre que la machine récupère, qu'elle récapitule ses données depuis le début.

J'accompagne Luz à Paris pour son avion, je rentre... Préparatifs d'hiver, donc. Le chauffage marche? Les fenêtres sont bien étanches? Piscine refermée, livres et disques achetés, trois blousons chauds, des bottes... Octobre, encore les hautes pressions, beaux jours. Le *Player II* est en route. Luz ici pour Noël et le Nouvel An? Le printemps et l'été prochains? Elle l'a dit, on déchiffrera ses variations au téléphone. Froissart, vous l'avez voulu. Vous voici dans votre cadre de méditation. Longues heures vides en perspective. Alors, ces Mémoires? Pourquoi pas? Pendant que le vent soufflera, que la pluie battra, que tout sera fermé, noir, opaque? Avec, de temps en temps, des tunnels de lumière froids? Dans la bibliothèque abritée? Entre deux *visites*? En commençant par écrire en haut, à gauche, VE, et la date, en chiffres, comme les numéros d'immatriculation des bateaux d'ici?

Début lent ou rapide?

« J'arrive, le petit palais est en ordre, le soleil brille sur les téléphones gris. »

Ou bien :

« Comme toujours, ici, vers le dix juin, la cause est entendue, le ciel tourne, l'horizon a sa brume permanente et chaude, on entre dans le vrai théâtre des soirs. »

Le jour glisse, la lune blanche remplace le soleil rouge du matin; les bruits du quai, dans la nuit verte et noire, se détachent et montent.

Clin d'œil au sarcophage du jardin.

Œuvres de Philippe Sollers (suite)

DRAMES, L'Imaginaire/Gallimard
LOIS
H
PARADIS

Essais :

L'INTERMÉDIAIRE
LOGIQUES
L'ÉCRITURE ET L'EXPÉRIENCE DES LIMITES
SUR LE MATÉRIALISME

Aux Éditions Grasset, collection *Figures* (1981) *et aux Éditions Denoël,* collection *Médiations*

VISION À NEW YORK, *entretiens*

Préface à :

Paul Morand, NEW YORK, *GF Flammarion*

Composé et achevé d'imprimer
par la Société Nouvelle Firmin-Didot
à Mesnil-sur-l'Estrée, le 10 janvier 1991
Dépôt légal : janvier 1991
Numéro d'imprimeur : 16675
ISBN 2-07-072203-1. Imprimé en France

51435